DIMANCHE

Georges Simenon, écrivain belge de langue française, est né à Liège en 1903. Il est l'un des auteurs les plus traduits au monde. À seize ans, il devient journaliste à *La Gazette de Liège*. Son premier roman, publié sous le pseudonyme de Georges Sim, paraît en 1921 : *Au pont des Arches, petite histoire liégeoise*. En 1922, il s'installe à Paris et écrit des contes et des romans populaires. Près de deux cents romans, un bon millier de contes écrits sous pseudonymes et de très nombreux articles, souvent illustrés de ses propres photos, sont parus entre 1923 et 1933... En 1929, Simenon rédige son premier Maigret : *Pietr le Letton*. Lancé par les éditions Fayard en 1931, le personnage du commissaire Maigret rencontre un immense succès. Simenon écrira en tout soixante-quinze romans mettant en scène les aventures de Maigret (ainsi que vingt-huit nouvelles). Dès 1931, Simenon commence à écrire ce qu'il appellera ses « romans durs » : plus de cent dix titres, du *Relais d'Alsace* (1931) aux *Innocents* (1972). Parallèlement à cette activité littéraire foisonnante, il voyage beaucoup. À partir de 1972, il cesse d'écrire des romans. Il se consacre alors à ses vingt-deux *Dictées*, puis rédige ses *Mémoires intimes* (1981). Simenon s'est éteint à Lausanne en 1989. Il fut le premier romancier contemporain dont l'œuvre fut portée au cinéma dès le début du parlant avec *La Nuit du carrefour* et *Le Chien jaune*, parus en 1931 et adaptés l'année suivante. Plus de quatre-vingts de ses romans ont été portés au grand écran (récemment *Monsieur Hire* avec Michel Blanc, *Feux rouges* de Cédric Kahn, ou encore *L'Homme de Londres* de Béla Tarr), et, à la télévision, les différentes adaptations de Maigret ou, plus récemment, celles de romans durs (*Le Petit Homme d'Arkhangelsk,* devenu *Monsieur Joseph,* avec Daniel Prévost, *La Mort de Belle* avec Bruno Solo) ont conquis des millions de téléspectateurs.

Paru dans Le Livre de Poche :

Les 13 Coupables
Les 13 Énigmes
Les 13 Mystères
L'Âne rouge
Les Anneaux de Bicêtre
Antoine et Julie
Au bout du rouleau
Les Autres
Betty
La Boule noire
La Chambre bleue
Le Chat
Les Complices
Le Coup de lune
Crime impuni
Le Destin des Malou
La Disparition d'Odile
En cas de malheur
L'Enterrement de Monsieur Bouvet
Les Fantômes du chapelier
Feux rouges
Les Fiançailles de M. Hire
Le Fond de la bouteille
Les Frères Rico
La Fuite de Monsieur Monde
Les Gens d'en face
Le Grand Bob
La Guinguette à deux sous
Le Haut Mal
L'Homme au petit chien
L'Homme de Londres
L'Horloger d'Everton
Les Innocents
Je me souviens
La Jument perdue
Lettre à ma mère
Lettre à mon juge
La Maison du canal
Marie qui louche
Monsieur Gallet, décédé
La Mort de Belle
La neige était sale
Novembre
L'Ours en peluche
Le Passage de la ligne
Le Passager clandestin
Le Passager du Polarlys
Pedigree
Le Petit Homme d'Arkhangelsk
Le Petit Saint
Le Président
Les Quatre Jours du pauvre homme
Le Relais d'Alsace
Strip-tease
Tante Jeanne
Les Témoins
Le Temps d'Anaïs
Le Train
le Train de Venise
Trois chambres à Manhattan
Un nouveau dans la ville
Une vie comme neuve
La Vieille
Les Volets verts

SIMENON

Dimanche

PRESSES DE LA CITÉ

ISBN : 978-2-253-16639-9 – 1re publication LGF

1

Il n'avait jamais eu besoin de réveille-matin et depuis un certain temps déjà, les yeux clos, il était conscient du soleil qui se glissait entre les deux minces fentes des volets, quand il entendit enfin une sonnerie étouffée dans la chambre d'en haut.

C'était une mansarde étroite, juste au-dessus de sa tête. Il en connaissait tous les recoins, le lit de fer et sa couverture rouge sombre, la cuvette sur un trépied en bois tourné et le broc d'émail par terre, le morceau de tapis brun qui n'était jamais à sa place, et il aurait pu dessiner le contour des taches sur les murs blanchis à la chaux, l'étroit cadre noir de guingois, autour d'une Vierge en robe bleu ciel.

Il connaissait aussi l'odeur un peu fauve, épicée, d'Ada qui était toujours longue à s'arracher au sommeil. Elle ne bougeait pas encore. Le réveil sonnait toujours et Émile s'impatientait. Sa femme, immobile à côté de lui dans le grand lit de noyer, devait l'entendre aussi, mais elle ne dirait rien, ne remuerait pas le petit doigt, car cela faisait partie de sa tactique.

C'était désormais sans importance. Le jour était venu, il l'avait su aussi avant d'ouvrir les yeux, avant même de se rendre compte que le soleil était levé, d'entendre le pépiement des oiseaux et le roucoulement des deux pigeons blancs.

Ada, là-haut, se retournait tout d'une pièce, tendait un bras brun, sa chemise ouverte jusqu'au milieu de la poitrine, sa main tâtonnant sur le marbre de la table de nuit.

Parfois, elle était si endormie qu'elle renversait le réveil, qui continuait à sonner sur le plancher, mais cela n'arriva pas aujourd'hui. La sonnerie s'éteignit. Il y eut encore un moment de silence, d'immobilité. Enfin ses pieds nus, par terre, cherchèrent les pantoufles.

Si on avait demandé à Émile ce qu'il ressentait ce matin-là, il aurait été en peine de répondre. Il s'était posé la question avant la sonnerie du réveil. En vérité il ne s'était pas senti différent des autres jours, des autres dimanches. Il n'avait pas peur. Il n'avait pas envie non plus de revenir en arrière. Il n'était pas impatient, ni ému. Il entendait, derrière lui, la respiration régulière de sa femme, sentait sa chaleur, son odeur aussi, à laquelle il ne s'était jamais habitué, si différente de celle d'Ada, une odeur qui, vers le matin, imprégnait la chambre, à la fois fade et aigre comme du lait suri.

Dans la mansarde, Ada ne se lavait pas. Ce n'était que plus tard, le gros de son travail achevé, qu'elle remontait pour sa toilette. Elle ne mettait pas de bas, pas de culotte, se contentait de passer sur sa chemise, qui était courte, une robe en coton rougeâtre.

À peine avait-elle glissé le peigne dans ses cheveux noirs et épais qu'elle ouvrait la porte et descendait l'escalier, où il lui arrivait de remonter une marche pour rattraper sa pantoufle.

Elle frôla la porte en passant, atteignit le rez-de-chaussée, et il l'entendait encore ; ne l'eût-il pas entendue qu'il aurait pu la suivre en pensée tant il connaissait les rites de la maison.

Elle pénétrait dans la cuisine, au carrelage rouge, tournait la grosse clef de la porte vitrée pour ouvrir les volets, découvrant le ciel bleu clair, les deux oliviers tordus, les pins, au-delà de la terrasse, et, dans un creux entre les collines, un peu de la rade scintillante de La Napoule.

Les deux colombes picoraient, comme des poules, dans le gravier. Ada restait un moment immobile, à s'éveiller peu à peu, à s'imprégner de la fraîcheur du matin, et déjà Mme Lavaud devait avoir quitté sa maisonnette de Saint-Symphorien, près de Pégomas, et s'être engagée dans le chemin en pente.

Émile avait le temps. Des cloches sonnaient, à Pégomas ou à Mouans-Sartoux. Une auto passait quelque part. Ada allumait le réchaud à gaz butane et moulait le café.

C'était le dernier jour, le dimanche qu'il avait fixé depuis longtemps, mais rien ne l'empêchait de revenir sur sa décision, de laisser les choses aller comme elles allaient depuis près d'un an.

La tentation ne lui en vint pas. L'idée ne l'effleura pas qu'il lui était loisible de tout remettre en question.

Son pouls battait normalement. Il n'avait pas peur. Il n'était pas impressionné. Quand il se leva enfin, au moment où, en bas, Ada versait l'eau sur le café et où on entendait les pas de Mme Lavaud, il eut un coup d'œil vers sa femme dont il ne voyait que la forme du corps sous la couverture, des cheveux teints en blond, une oreille rose, un œil clos.

C'était elle qui avait exigé que rien ne soit changé en apparence, qu'ils continuent à dormir dans la même chambre, dans le même lit, qui avait été le lit de ses parents, de sorte qu'il leur arrivait, certaines nuits, de se retrouver sans le vouloir chair contre chair.

Sur la pointe des pieds, par habitude plus que pour ne pas la réveiller, il passa dans le cabinet de toilette et se rasa, ainsi qu'il le faisait dès le matin les dimanches et les jours de marché. Les autres jours, il remontait, plus tard, comme Ada, pour sa toilette.

Les deux femmes, en bas, parlaient à mi-voix, assises devant la table et occupées à déjeuner.

On était fin mai. Il y avait eu de grandes pluies, en avril, puis des semaines froides, avec le mistral qui régnait trois jours sur quatre. Depuis une semaine, l'été avait commencé ; la bise, le matin, venait de l'est, tournait lentement pour souffler ensuite sur la mer et, tombant le soir, laissait à la nuit son calme absolu.

Il ne sut pas si Ada le regardait d'une autre façon que d'habitude, car il évita de l'observer. Elle lui servit son bol de café, poussa vers lui le plat de pissaladière et il s'en coupa une large tranche qu'il mangea debout, en regardant dehors, campé sur le seuil.

Elle savait. Il ne lui avait pas fourni de détails. Ils n'avaient jamais échangé beaucoup de paroles.

Un des jours de la semaine, le mardi, s'il ne se trompait pas, il s'était contenté de lui dire :

— Dimanche prochain.

Elle ignorait pourquoi il avait choisi un dimanche, et pourquoi il avait attendu si longtemps, près d'un an. Avait-elle pensé qu'il avait peur ou qu'il avait pitié de Berthe ?

— Les paniers sont dans l'auto ?

En dehors d'un vague bonjour, Mme Lavaud n'avait pas desserré les dents et on aurait pu la croire étrangère à la maison. C'était une petite femme ronde et pourtant dure, qui avait soixante-deux ans et trois ou quatre enfants mariés quelque part en France. Refusant d'être à leur charge, elle avait longtemps servi comme domestique chez un médecin de Cannes, puis chez un dentiste.

Deux ans plus tôt, elle s'était remariée à un homme qu'Émile n'avait jamais vu, que personne, à La Bastide, ne connaissait. Elle l'avait rencontré, autant qu'on pouvait savoir, en se promenant à Cannes lors d'un de ses congés hebdomadaires, tandis que, pensionnaire à l'asile de vieillards, il faisait, lui aussi, sa promenade du jeudi.

Il avait soixante-douze ans. Pendant des mois, elle était allée le voir, lui porter des douceurs. Un matin, on avait eu la surprise de voir dans le journal le nom de Julia dont on publiait les bans.

Depuis, son mari vivait toujours à l'asile. Elle travaillait toujours à La Bastide.

Pourquoi s'étaient-ils mariés ? Elle n'en avait rien dit. Peut-être possédait-il un peu d'argent dont elle espérait hériter ? Peut-être avait-elle agi par pitié ?

Émile ne s'en tracassait pas, car il n'était pas de ceux qui pensent à plaisir et s'acharnent à se créer des problèmes.

Il n'avait rien fait pour qu'on en arrive où on en était. Ce n'était pas lui qui avait déclenché le drame et, au fond, il aurait été en peine de dire exactement comment ça avait commencé.

Le difficile, quand on essaie de se souvenir, c'est de faire la part de ce qui compte et de ce qui ne compte pas. On se trouve devant un fouillis de menus faits qui paraissent, les uns avoir de l'importance, les autres n'être qu'anodins, et on s'aperçoit ensuite qu'on se trompe, on s'efforce de retrouver d'autres causes en constatant que celles qu'on avait découvertes n'expliquent rien.

Ou alors, si on se contente d'explications trop simples, on en arrive à raisonner comme les journaux, qui écrivent :

Parce qu'il était ivre, un éclusier tue sa femme à coups de couteau.

Pourquoi était-il ivre ? Et pourquoi un couteau ? Pourquoi sa femme ? Surtout, pourquoi nul ne se demande-t-il si elle n'avait pas une vocation de victime ?

Car, si l'on admet une vocation d'assassin, on peut supposer qu'il existe aussi une vocation d'assassiné, ce qui arrive à dire que, dans un crime, celui ou celle qu'on tue a des comptes à rendre au même titre que celui ou celle qui tue.

C'est compliqué et Émile n'aimait pas penser à des choses compliquées. D'ailleurs, en mangeant sa pissaladière et en regardant un pan de Méditerranée au pied de l'Esterel, il ne pensait pas sérieusement, en tout cas pas d'une façon *dramatique*.

C'étaient juste des bouts d'idées qui lui venaient à l'esprit. Il ne s'agissait pas de résoudre un problème. Il n'avait pas la prétention d'expliquer.

Il s'était trouvé dans une situation déterminée, dont il était nécessaire de sortir d'une façon ou d'une autre. Une seule solution s'était imposée à lui, qui lui avait paru évidente.

Tout son effort avait été de mettre cette solution au point, ce qui avait pris du temps, onze mois exactement.

Maintenant que le jour était arrivé, cela ne servirait à rien de tout remettre en question. Il n'en était d'ailleurs pas tenté. Ce qui, tout au plus, lui faisait un drôle d'effet, c'était de penser, tandis que la vie de la maison commençait comme les autres dimanches :

« Ce soir, ce sera fini. »

Il avait hâte d'être plus vieux de quelques heures. Quand il termina, toujours debout, son petit déjeuner, et qu'il alluma sa première cigarette, sa main frémissait un peu. Alors seulement son regard rencontrait celui d'Ada, qui lui versait un second bol de café, et il crut lire une question qui l'irrita.

Il lui avait dit :

— Dimanche prochain.

On était dimanche. Elle n'avait à se préoccuper de rien. Elle aurait tort, en outre, de se sentir mauvaise conscience car, si elle était pour quelque chose dans ce qui allait se passer, elle n'en était pas la raison principale.

Elle était l'accident, en somme. Cela aurait pu commencer autrement, avec n'importe qui, ou sans personne.

— Je vous ai préparé une petite liste, monsieur Émile. N'oubliez pas le parmesan…

Mme Lavaud, qui avait passé son tablier de grosse toile bleue, remplissait un seau d'eau pour aller laver le carrelage de la salle à manger et du bar.

La Bastide était presque un décor de théâtre, une auberge provençale telle que les gens de Paris et du Nord imaginent une auberge du Midi, avec un sol dallé de rouge, des briques apparentes autour des fenêtres, des murs ocre et de gros vases de faïence vernissée. Le bar était monté sur de vieilles vis de pressoir et les tables de la salle à manger couvertes, bien entendu, de nappes à carreaux.

Les deux pensionnaires, Mlle Baes et Mme Delcour, qui venaient de se lever, allaient bientôt descendre, en robes à fleurs ou à pois, un large chapeau de paille sur la tête, pour déjeuner à la terrasse.

Toutes les deux étaient belges, avaient la soixantaine et venaient chaque année passer deux mois sur la Côte.

Émile s'installa au volant de la 2 CV carrossée en camionnette et mit le moteur en marche. Quand il se retourna, avant la pente, il aperçut Ada sur le seuil et n'en eut aucune émotion.

Le chemin était difficile, avec un rocher à droite et un fossé à gauche. Il n'y faisait plus attention. Un peu plus tard, il roulait entre deux haies, passait devant une villa, puis devant une petite ferme, pour déboucher enfin, aux Baraques, sur la route Napoléon.

Quelques motos montaient vers Grasse et, sur la plupart, il y avait un couple. Certains conducteurs avaient déjà le torse nu. D'autres voitures le dépassaient dans la descente, immatriculées à Paris, en Suisse ou en Belgique.

À Rocheville, il tourna à droite, longea le mur du cimetière, de l'hôpital, descendit la rue Louis-Blanc et franchit le pont du chemin de fer. Il faisait le même chemin trois fois par semaine, cherchait toujours à garer sa voiture devant la boucherie d'abord, ensuite, s'il ne trouvait pas de place, dans l'étroite rue Tony-Allard, près de la crémerie peinte en bleu clair où il se fournissait.

Le marché Forville battait son plein et la preuve que la saison était commencée, c'est qu'on apercevait quelques femmes en short, voire en maillot de bain, des lunettes sombres sur les yeux, des chapeaux plus ou moins chinois sur la tête.

C'était bon qu'il ait à s'occuper et que ces images familières lui passent sous les yeux. Il ne fallait pas non plus oublier sa liste.

— Alors, monsieur Émile ? Vous avez du monde ?

Des odeurs de fromages. Des vendeuses à la peau claire, au tablier très blanc.

— Deux pensionnaires, toujours les mêmes.

— Cela va venir. Hier, on a commencé à voir des embouteillages sur la route.

Il chercha sa liste dans sa poche, fit sa commande, déchiffrant non sans peine l'écriture de Mme Lavaud.

Au fond, il ne l'aimait pas. Elle était, à La Bastide, un élément étranger, et il se rendait compte qu'il ne savait rien d'elle, qu'elle ne participait pas à la vie de la maison, qu'elle faisait son métier, sans plus, pour gagner son argent.

Les autres aussi, peut-être. Mais pas de la même façon. Par exemple, si Maubi, le jardinier, le trichait, il savait comment, pourquoi, et ce n'était même pas un secret entre eux. Il aurait pu lui dire tout à trac :

— Maubi, tu es un voleur !

Maubi aurait probablement souri en clignant de l'œil.

L'air devenait chaud. Émile passait de l'ombre au soleil, du vacarme du marché au silence des petites rues. En face de la crémerie, on voyait une boutique d'articles de pêche. Il y avait un mois qu'il n'était pas allé pêcher. Il irait dès que tout serait fini. Cela lui rappelait qu'il devait s'assurer que le bateau du docteur Guérini avait quitté le port.

Car il avait tout prévu. Ce n'était pas pour rien qu'il avait mis onze mois à préparer ce qui allait se passer aujourd'hui.

Tout ce temps-là avait été employé, non en hésitations, mais en réflexions et en calculs minutieux.

En y repensant, cela lui semblait court. Il était surpris, soudain, d'être arrivé tout près du but et, s'il ne lui venait toujours pas la tentation de reculer, il n'en était pas moins pris d'un certain vertige.

Un panier à la main, il se dirigea vers le port, non pas celui des yachts, où on voyait se déployer quelques voiles blanches, mais celui des pêcheurs, où les « pointus », qui étaient sortis la nuit, venaient s'amarrer les uns à côté des autres.

À mesure qu'il avançait parmi les filets mis à sécher, il entendait :

— Salut, Émile…

Car il n'était plus tout à fait un étranger.

Il questionnait :

— Polyte est rentré ?

— Il y a une demi-heure. Je crois qu'il a quelque chose pour toi...

Il passait sur un autre appontement et trouvait Polyte, dans son bateau, occupé à trier du poisson.

— Tu as les encornets ?

— Six livres.

Cela formait au fond du panier une masse visqueuse d'un blanc de porcelaine et quelques encornets avaient craché leur encre.

— Tu veux de la bouillabaisse aussi ?

— À combien ?

— T'en fais pas. On s'arrangera.

Il en prit une certaine quantité car, avec le beau temps, il y avait des chances pour qu'on fasse une trentaine de couverts et la plupart des touristes réclamaient de la bouillabaisse.

Le bateau du docteur Guérini n'était pas à son ancrage.

— Il y a longtemps que le *Sainte-Thérèse* est sorti ?

— Je l'ai aperçu entre les îles en rentrant. Il a dû partir qu'il faisait nuit.

Le fromage, le poisson, la viande. Il lui restait à passer à l'épicerie. Puis il poussa la porte de Justin, qui tenait un des petits bars du marché.

— Salut, Émile...

Les hommes buvaient du vin blanc, les femmes du café, et on aurait dit que tout le monde parlait à la fois. C'étaient des gens du marché, ou des commerçants de la place, qui étaient debout depuis trois ou quatre heures du matin. Chacun, à son tour, se dirigeait vers l'urinoir.

— Beau temps !

— Beau temps.

Il était juste un homme comme les autres, un homme comme eux. Personne ne se doutait. Il n'y avait qu'Ada à savoir et sans doute Ada se faisait-elle une idée fausse de ses mobiles.

Bien avant qu'elle travaille à La Bastide, on disait, dans le pays, qu'elle n'était pas comme les autres. Si on ne prétendait pas qu'elle était folle, tout au moins la considérait-on comme une demeurée.

Cela tenait-il à ce qu'elle parlait rarement et semblait avoir peur des gens ?

En tout cas, elle n'était pas tout à fait normale. Elle ne se comportait pas comme les filles de son âge et elle ne les fréquentait pas plus qu'elle ne fréquentait les garçons.

— C'est une sauvage !

Ses parents, eux aussi, vivaient comme des sauvages, retranchés du reste du pays.

Quand son père, Pascali, s'était installé en bordure de Mouans-Sartoux, il avait déjà les cheveux gris, le visage ridé et cuit par le soleil, et il ne parlait qu'un mélange peu compréhensible d'italien et de français.

Comme c'était un bon maçon, il trouva du travail à gauche et à droite, des réparations surtout, car il travaillait seul.

Il disparaissait de temps en temps pendant plusieurs semaines, revenait et se remettait à l'ouvrage.

Lors d'un de ces retours, il était accompagné d'une femme d'une quarantaine d'années, qui avait l'air d'une gitane, et d'une fillette de douze ans qui ne répondait pas quand on lui adressait la parole.

Émile avait à peine vingt-cinq ans à l'époque et venait d'arriver chez les Harnaud, qui tenaient La Bastide et qui allaient devenir ses beaux-parents.

Il se souvenait d'une fille maigre qui, dans ce pays de soleil, était une des rares à être toujours vêtue de noir, une étrange tenue, d'ailleurs, mi-robe, mi-tablier, qui pendait sur son corps sans forme.

On l'apercevait au détour d'un chemin, ou dans un bois, au bord de la grand-route. On disait :

— C'est la fille de Pascali et de la gitane.

Mais rien ne prouvait que la femme que Pascali avait ramenée fût une gitane. En vérité, on ne savait rien, et Pascali ne fournissait aucune explication. Les gendarmes étaient-ils plus avancés ? Probablement que non, car ils auraient fini par parler.

Francesca ne fréquentait pas les autres femmes, sortant à peine de la maison que Pascali avait fini par bâtir entre deux travaux pour ses clients et qui ne ressemblait à aucune autre maison.

On aurait dit qu'il avait voulu rassembler des échantillons de tout ce qu'il savait faire, des échantillons aussi de toutes les pierres, de tous les matériaux.

On prétendait qu'il ne permettait pas à sa femme de sortir, qu'il lui arrivait de l'enfermer et, certaines fois, de la battre.

Le visage de Francesca était déformé par deux cicatrices qui barraient les joues et on les expliquait par la jalousie de l'Italien. Selon certains, il aurait défiguré sa femme exprès, pour décourager les galants.

C'était lui, pourtant, qui avait amené un jour sa fille, Ada, à La Bastide. Émile était marié depuis un certain temps. Son beau-père était mort. Sa belle-mère était retournée en Vendée où elle avait sa famille.

Dans son patois que les Italiens eux-mêmes ne comprenaient pas, Pascali avait discuté du salaire d'Ada, des conditions de travail, et tout s'était passé de telle sorte qu'on aurait pu croire qu'il venait la vendre.

Il n'avait pas réclamé, pour elle, de jours de sortie, ni de congé annuel. Elle n'en prenait pas. C'était rare qu'elle se rende, le temps d'une visite, dans la maison de ses parents, qui n'était pourtant qu'à deux kilomètres, et Pascali se contentait de surgir de loin en loin, couvert de chaux, et de s'asseoir dans la cuisine pour boire un verre de vin en regardant sa fille.

Était-ce cela, le commencement, ou fallait-il remonter plus loin ?

Sur la plage, en face du Carlton, du Majestic, du Miramar, des gens se baignaient déjà, des femmes s'installaient sous les parasols, quelques-unes entourées d'enfants, et s'enduisaient le corps d'huile avant de s'exposer au soleil.

Au marché couvert, Émile rencontrait des collègues qui tenaient des restaurants en ville ou aux environs. Les voitures débouchaient de l'Esterel et d'autres, par Nice, arrivaient d'Italie.

On assistait à la mise en place d'un beau dimanche, qui s'effectuait comme la mise en place d'un restaurant, quand on dresse les couverts et qu'on pose les vases de fleurs au milieu des tables. Le marché aux fleurs battait son plein aussi. Émile devait en acheter. La camionnette se remplissait peu à peu et les aiguilles de l'horloge avançaient lentement, rapprochant l'heure à laquelle il faudrait agir.

Il n'y avait pas eu un commencement, mais plusieurs. Et l'un de ceux-ci était sans doute ce qui s'était passé un après-midi dans la mansarde.

Ada travaillait à La Bastide depuis près de deux ans et devait donc avoir dix-huit ans. Lui n'en avait pas trente. Il ne s'était jamais intéressé à elle, sinon, parfois, pour la regarder en fronçant les sourcils en se demandant ce qu'elle pensait.

On pouvait la mettre à tous les travaux sans qu'elle proteste. Elle ne travaillait pas vite et elle n'était pas soigneuse, mais on n'avait aucune prise sur elle car, quand on lui adressait une observation, ou quand Berthe se fâchait contre elle, elle restait comme un mur.

Il se souvenait de certaines scènes, de Berthe, exaspérée, finissant par hurler, quasi hystérique :

— Regardez-moi quand je vous parle.

Ada la regardait de ses yeux sombres et vides.

— Vous m'écoutez ?

Elle ne bronchait pas.

— Dites : Oui, madame.

Elle répétait, indifférente :

— Oui, madame.

— Vous ne pourriez pas être polie ?

Émile n'était pas loin de croire que, si sa femme se mettait si facilement en rage, c'était parce qu'elle n'arrivait pas à faire pleurer Ada.

— Et si je vous flanquais à la porte ?

Toujours le mur.

— J'en parlerai à votre père...

Émile, lui, s'était habitué à elle, mais un peu à la façon dont il se serait habitué à la présence d'un chien dans la maison. Un chien ne parle pas non plus, ne fait pas toujours ce qu'on aimerait lui voir faire.

Puis, un après-midi où Berthe était absente, il était monté dans la mansarde, sans arrière-pensée, parce qu'il cherchait Ada et qu'elle ne répondait pas, et, quand il était redescendu, il ne savait pas s'il devait se réjouir ou avoir peur de ce qui venait de se passer.

En tout cas, il ne la connaissait pas davantage et peut-être la comprenait-il moins que jamais.

Il se souvenait surtout d'un regard qu'il n'avait pas encore vu à une femme, un peu comme le regard d'une bête à l'approche de l'homme.

Il y avait trois ans de cela. Pouvait-il prétendre qu'il la connaissait davantage et cela s'appelait-il de l'amour ?

S'il faut absolument un commencement, c'en était un parmi beaucoup d'autres.

Mais, en ce qui concernait Berthe, le commencement ne se situait que deux ans plus tard, à l'heure de la sieste, le 15 juin, il se souvenait de la date, de l'heure, des moindres circonstances.

Cela avait-il encore de l'importance ? Tout cela n'était-il pas dépassé ? Il avait eu le temps, en onze mois, d'y penser, et pourtant cela ne l'avait guère préoccupé.

Même aujourd'hui, cela ne le tracassait pas outre mesure. Il n'était pas ému. Il ne regrettait rien. Il n'avait pas non plus le trac.

Une certaine impatience, certes, qui lui faisait boire son café trop chaud au bar de Justin. Un frémissement des doigts, comme ce matin dans la cuisine, et du vague dans la poitrine. Mais cela lui arrivait aussi quand, en pêchant au boulantin, il tenait une belle pièce au bout de son fil.

Et la sensation d'irréalité lui était familière. Quand on est en mer, tôt matin, à bord d'un « pointu », seul sur l'eau qui scintille et qui respire à un rythme monotone, on n'est plus tout à fait soi-même et il arrive que tout ce bleu, cette paix inhumaine, ce silence absolu vous inspirent une certaine angoisse.

Le marché Forville était le même que les autres dimanches, avec ses visages familiers, ses bruits, ses odeurs. Pourtant, n'était-ce pas un peu comme s'il avait vu ce décor à travers une glace ?

Pour quelques heures, il ne faisait pas partie du reste du monde. Ce soir, demain, il serait à nouveau un homme pareil aux autres. Pas tout à fait.

Il ne fallait pas penser. On ne doit jamais revenir sur ce qui a été décidé une fois pour toutes.

Il avait dit à Ada, sans lui fournir de détails :

— Dimanche prochain…

On était ce dimanche-là. Tout était au point. Il était trop tard pour arrêter les événements.

— Donne-moi un paquet de Gauloises.

Il en alluma une, rejeta lentement la fumée. Il ne lui restait qu'à prendre le colis chez le boucher où il avait laissé sa commande en passant.

À cette heure, Berthe était occupée à sa toilette, dans la chambre dont elle avait ouvert les volets. Les deux pensionnaires, Mlle Baes et Mme Delcour, toutes les deux blondes et grasses, avec de gros bras roses, marchaient l'une derrière l'autre dans un sentier en cueillant des fleurs sauvages dont, tout à l'heure, elles viendraient lui demander le nom.

On les entendait parfois rire comme des petites filles. Mlle Baes avait hérité d'une affaire de biscuits et son amie était la veuve d'un charcutier.

Sur la Côte d'Azur, on aurait dit qu'elles retombaient en enfance et, quand le temps ne leur permettait pas de se promener, elles passaient des heures à écrire des cartes postales.

Il lança le paquet de boucherie dans la camionnette, referma la porte arrière, s'installa au volant, regarda derrière lui pour s'assurer qu'il avait assez de place pour une marche arrière.

Encore trois heures avant que tout devienne définitif.

2

Il avait un peu plus de quinze ans, puisque c'était l'année de son brevet, quand la notion de Côte d'Azur était entrée dans son univers, sous une forme encore schématique, mais déjà plus vivante que l'affiche touristique qu'il voyait à la gare quand il allait à La Roche-sur-Yon.

Ce jour-là, il était loin de se douter que c'était, plus ou moins indirectement, son destin qui se jouait.

Pourquoi il avait accompagné son père à Luçon, il ne parvenait pas à s'en souvenir. Cela signifiait en tout cas que c'était un jeudi, puisque les autres jours, s'il se rendait dans la même ville pour aller à l'école, c'était à bicyclette.

Avait-il eu envie de voir un camarade et demandé à profiter de la carriole ? C'était possible, car il pleuvait dru et un fort vent du large faisait claquer la capote. Il revoyait de larges traces mouillées sur les cuisses de la jument dont on avait recouvert le dos d'un morceau de bâche.

Ils ne parlaient jamais beaucoup, son père et lui. Ils avaient dû parcourir en silence les huit kilomètres séparant Champagné de Luçon, une route plate, comme le reste du marais, avec de temps en temps une maison basse, une cabane, dans le langage du pays, dans des prés léchés par la mer.

Le vrai paysage, là-bas, c'était le ciel, plus vaste qu'ailleurs, à peine rongé par la dentelure d'un clocher à l'horizon, un ciel si étendu que les maisons, les chemins, les voitures et, à plus forte raison, les hommes paraissaient minuscules.

C'était le ciel qui vivait, se remplissant de nuages lourds et noirs qui crevaient ou, au contraire, de gros nuages blancs, lumineux, immobiles, parfois encore de flocons légers qui se réunissaient en bandes rougeâtres au coucher du soleil.

Il avait sans doute plu toute la journée, comme cela arrive si souvent. Quand il n'y avait ni foire ni marché à Champagné ou dans les communes environnantes, l'auberge, sauf à la belle saison, était pour ainsi dire vide.

C'était son arrière-grand-père, boucher de son état, qui l'avait fondée et qui l'avait appelée le Bœuf Couronné, qu'on voyait sur l'enseigne aux lettres d'or datant d'un siècle. Le plafond était bas, jaunâtre, presque brun, comme les murs, les boiseries, les tables auxquelles les gens du pays, le dimanche, s'accoudaient pour boire des chopines de muscadet en jouant aux cartes et aux dominos.

Ils portaient le costume noir qu'ils avaient revêtu pour la messe. La semaine aussi, ils étaient presque toujours en noir, parce qu'ils usaient les vieux costumes du dimanche.

Et, dans toute la maison, régnait une odeur de vinasse, d'alcool, de tabac refroidi, avec, dans les chambres, un relent pas déplaisant de moisissure qui restait pour Émile l'odeur de la vraie campagne. Cela devait provenir des lits, toujours humides, aux matelas bourrés de crin végétal. Ou encore l'odeur venait-elle de la meule dressée derrière, dans le pré, car son père avait un bout de terre et deux vaches ?

Il n'était jamais allé plus loin que La Roche-sur-Yon et Les Sables-d'Olonne au nord, La Rochelle au sud, Niort à l'est.

Il ne voyait que les gens du pays, quelques voyageurs de commerce, des forains, de temps en temps un homme de loi qui déjeunait à l'auberge et, l'été, des touristes qui ne faisaient que passer.

Il ne se souvenait pas d'une vraie conversation avec son père. Quant à sa mère, elle semblait lui en vouloir d'être né six ans après ses deux autres enfants, alors qu'elle ne comptait plus en avoir.

Tout petit encore, il n'osait pas lui dire, par exemple, qu'il avait mal au ventre, car elle le regardait de l'œil de quelqu'un qui sait, de quelqu'un qu'on ne trompe pas.

— Tu prétends que tu as mal au ventre parce que tu n'as pas appris ta leçon et que tu as peur d'aller à l'école.

Cela l'avait frappé. Elle raisonnait ainsi pour tout. Et, comme il y avait du vrai là-dedans, comme, en effet, il ne savait pas sa leçon, cela l'avait longtemps troublé.

Il avait fini par découvrir qu'il avait réellement mal au ventre – il ne le *prétendait* donc pas – parce qu'il ne savait pas sa leçon, donc parce qu'il avait peur.

Son père, lui, ne s'occupait pas de ces choses-là. Il vivait dans un monde de grandes personnes, d'hommes qui discutent de prés, de foins, de bestiaux ou de politique locale en buvant des chopines de vin ou des petits verres d'alcool.

Peut-être Émile ne l'avait-il accompagné, ce jour-là, que parce qu'il pleuvait depuis le matin et qu'il s'ennuyait dans la maison où il n'avait jamais eu de place à lui. Sa sœur, Odile, âgée de vingt-deux ans, avait sa chambre. Il couchait, lui, dans celle de son frère Henri, une mansarde comme celle d'Ada, et il n'avait aucun point commun avec Henri qui, à vingt ans, était déjà la réplique de leur père.

Henri travaillait chez un marchand de bestiaux et deviendrait marchand de bestiaux à son tour, ce qui ne l'empêcherait pas de reprendre le Bœuf Couronné. Tout cela allait ensemble.

Odile ne tarderait pas à se marier avec un grand blond qui était employé à Luçon.

Quant à Émile, il se débrouillerait comme il pourrait.

Voilà à peu près où il en était à cette époque. Il était plus petit que le reste de la famille et, alors que les autres étaient secs, noueux, il avait honte de son corps presque potelé.

La carriole s'était d'abord arrêtée à la Petite Vitesse, où son père avait chargé des sacs, probablement de l'engrais. Puis, pas loin de la cathédrale, et alors que la pluie tombait toujours par seaux, on avait fait halte aux Trois Cloches.

— Descends, lui avait dit son père.

Les Trois Cloches méritaient le nom d'hôtel à cause de la grande façade blanche, des deux salles à manger, d'une salle de bains à chaque étage et des écussons qui figuraient des deux côtés de la porte, mais c'était une auberge aussi où, les jours de foire, on voyait plein de chevaux à l'écurie, de carrioles dans la cour, de paysans plus ou moins saouls dans les salles et dans la cuisine.

Louis Harnaud, qu'on appelait Gros-Louis, était un ami de son père et passait pour un homme riche. Son teint était coloré, presque violet, car, du matin au soir, en costume blanc et coiffé d'une toque de cuisinier, il buvait avec les clients qu'il serait allé, au besoin, chercher dans la rue.

— Je suis content de te voir, Honoré… Tu as amené le gamin ?… Assieds-toi, que j'aille chercher une bouteille…

Il y avait aussi, dans le hall, une caisse à laquelle, quand il y avait du monde, la digne Mme Harnaud prenait place avec autant de gravité qu'elle aurait pris place sur un trône.

Leur fille, Berthe, avait fréquenté la même école qu'Émile, mais de deux ans plus âgée que lui, elle avait déjà passé son brevet. Il ne l'avait pas aperçue ce jour-là. Peut-être était-elle à sa leçon de piano ?

Ils étaient installés tous les trois dans un coin de la pièce où se trouvait la table d'hôte et, à travers les rideaux de guipure, Émile voyait la pluie tomber, des gens passer en tenant leur parapluie comme un bouclier.

— Je disais justement hier à ma femme que j'avais envie de te parler…

Émile avait l'habitude de ces conversations-là, lentes à démarrer, comme si chacun se méfiait de son interlocuteur, et on aurait toujours pu croire qu'il s'agissait de vendre un pré ou une vache.

— Tu es content, à Champagné ?

Son père, qui ne savait pas de quoi il allait être question, se taisait, prudent.

— Et ton aîné ?

— Il ne va pas mal…

— Il paraît que ta fille va se marier ?

Tout le monde le savait dans la région. Ce n'étaient donc là que des travaux d'approche et, malgré la futilité apparente des mots, chacun de ceux-ci comptait.

— Si j'ai tout de suite pensé à toi, c'est que j'ai l'impression – mais je me trompe peut-être – que tu as de l'ambition pour tes garçons…

En disant cela, il regardait Émile comme pour en faire son complice.

— L'idée ne t'est jamais venue de t'installer dans un endroit plus important que Champagné ?

— C'était assez bon pour mes parents et pour mes grands-parents. Je suppose que c'est assez bon pour mes fils.

— Écoute, Honoré…

Ils étaient allés à l'école ensemble et tous les deux étaient fils d'aubergistes.

— D'abord, à ta santé !

Mme Harnaud, à ce moment-là, avait poussé la porte et, voyant les hommes en conversation, s'était retirée sans bruit.

— Remarque que je ne veux pas t'influencer. Ce que je vais en dire, c'est parce que je t'aime bien et que je sais quel homme tu es…

Il suivait un long chemin sinueux avant d'en arriver au but.

— Tu ne dois pas ignorer que, Mme Harnaud et moi, nous nous sommes enfin payé des vacances…

Il n'était pas le seul à appeler sa femme par son nom de famille. La plupart des commerçants de la région en faisaient autant.

— Depuis des années, elle avait envie de voir la Côte d'Azur, et nous sommes allés passer trois semaines à Nice…

Il se renversait en arrière, son verre à la main, les yeux plus malicieux.

— Tu n'y es jamais allé, n'est-ce pas ?

— Jamais.

— Il vaut peut-être mieux que tu n'y ailles pas.

Cela le faisait rire.

— Sais-tu qu'en novembre, là-bas, on se promène sans pardessus et qu'il y a encore assez de touristes pour remplir la moitié des hôtels ?

Quand il arriva enfin à son sujet, la bouteille était vide et il alla en chercher une autre.

— J'ai cinquante-huit ans, sept mois de moins que toi, tu vois que je m'en souviens. Depuis quelque temps, je commençais à penser à la retraite, car mon foie et mes reins me tracassent et le docteur prétend que le métier ne me vaut rien. Attends un instant...

Il sortit, revint avec des cartes postales et des photographies.

— D'abord, jette un coup d'œil là-dessus...

Il y avait un panorama de Nice, avec la Baie des Anges en bleu sombre, d'autres vues de la ville, d'Antibes, de Cannes, des femmes en costume pittoresque, les bras chargés de fleurs, un petit port de pêche, sans doute Golfe-Juan, avec des filets séchant le long de la jetée.

— Sais-tu ce qu'on rencontre le plus, à Nice et dans les environs ? Des gens comme nous, comme toi et moi, qui ont trimé toute leur vie pour mettre un peu d'argent de côté et qui ont décidé de se donner enfin du bon temps. Voilà ce qu'il y a ! J'avoue que je me suis d'abord demandé si je n'allais pas faire comme eux, acheter un appartement ou une bicoque pour m'y retirer avec ma femme et ma fille.

» Puis je me suis mis à regarder les vitrines.

C'est plein d'agences, comme ils disent, qui louent et qui vendent des villas et des fonds de commerce.

» Regarde tout ça...

Il étalait sur la table des photographies représentant aussi bien des mas provençaux que des immeubles de cinq étages sur la Promenade des Anglais.

— Il a fallu que j'aille manger par hasard dans un petit restaurant qu'on m'avait désigné, pour comprendre le truc. Le patron est un homme de notre âge. J'ai reconnu, à son accent, qu'il n'était pas de là-bas et il m'a avoué qu'il venait des environs de Dunkerque. Un type comme nous, quoi ! Un beau jour, il en a eu assez de travailler dans un pays où il pleut la moitié de l'année. Comme il n'avait pas assez d'argent pour être rentier, il a pris ce petit restaurant dont je te parle. Il ne s'en fait pas. La moitié de l'année, il est pour ainsi dire en vacances et, le matin, il va à la pêche...

Gros-Louis s'excitait et abattait enfin sa carte maîtresse, la photographie d'une vieille ferme, assez délabrée, flanquée de deux gros oliviers et entourée de bois de pins. Entre les collines, à l'horizon, on devinait le miroitement de la mer.

— C'est à moi, Honoré ! Tant pis si j'ai fait une bêtise, mais j'ai acheté ce truc-là et je vais le transformer en quelque chose de bien. Il y a déjà un type qui n'est pas architecte, mais qui s'y connaît mieux que s'il l'était, qui est en train de préparer des plans. Il y aura un restaurant, un bar, cinq chambres pour les touristes et je pourrai même élever des poules et des lapins, sans compter que j'ai assez de vigne pour faire mon vin.

» Je vends les Trois Cloches. Faut-il ajouter que, si le cœur t'en dit, je te donne la préférence et que je te laisse le temps que tu voudras pour payer ?...

» Avec deux fils...

Honoré Fayolle s'était contenté de hocher la tête, sans dire oui ni non. En fin de compte, après des entretiens à voix basse, dans l'auberge de Champagné, cela avait été non.

Gros-Louis avait revendu les Trois Cloches à quelqu'un qui s'était fait assez d'argent dans un bar-tabac de Paris et qui rêvait de finir ses jours dans une petite ville de province.

Les Harnaud, le père, la mère et la fille, avaient quitté le pays pour s'installer à La Bastide, entre Mouans-Sartoux et Pégomas.

Au fond, c'était le vrai commencement, pour autant qu'il existe un commencement.

Pendant quatre ans, Émile n'avait plus entendu parler des Harnaud, ni de la Côte d'Azur.

Son brevet passé, son père lui avait demandé :

— Qu'est-ce que tu comptes faire ?

Il n'en savait rien, sinon qu'il était décidé à quitter Champagné.

— Le patron de l'Hôtel des Flots, aux Sables, cherche un apprenti cuisinier pour la saison.

Il aimait la vaste plage des Sables-d'Olonne, le grouillement de gens venus des quatre coins de la

France. Il n'en avait guère profité cet été-là, confiné qu'il était la plus grande partie du temps dans une cuisine en sous-sol.

En octobre, le patron l'avait recommandé à un camarade de Paris, qui tenait un petit restaurant près des Halles, et il y avait travaillé deux ans. Il avait même, encore qu'irrégulièrement, suivi les cours d'une école hôtelière.

Il avait dix-neuf ans et il faisait une saison à Vichy quand il avait reçu une lettre de son père, ce qui était rare. Elle était écrite au crayon violet, sur du papier qu'on vendait en pochettes de six feuilles et de six enveloppes chez l'épicière de Champagné.

Ta mère va bien. Elle ne souffre presque plus de son rhumatisme. Ton frère épousera, au printemps, la fille Gillou, et ils s'installeront ici tous les deux. Si je t'écris, c'est pour te dire que Gros-Louis, qui avait les Trois Cloches, à Luçon, et dont tu te souviens sûrement, a eu une attaque et qu'il a la moitié du corps paralysé. Il a monté une bonne affaire près de Cannes et sa femme me fait savoir qu'il serait content si tu voulais travailler chez eux. Leur fille Berthe n'est pas mariée. Ils n'ont pas de garçon et ils se trouvent embarrassés…

Un nouveau maillon. Il avait lu cette lettre dans la vaste cuisine d'un palace de Vichy où ils étaient une quinzaine, une serviette autour du cou, la toque sur la tête, à s'affairer autour des fourneaux.

Sans doute était-ce le changement qui l'avait tenté ? Il n'aimait pas le chef et le chef ne l'aimait pas. Il était parti le jour même et, le lendemain, il découvrait La Bastide, qui n'était encore devenue qu'en partie ce qu'elle était maintenant.

Gros-Louis, qui n'était plus gros, mais flasque, avec des joues qui pendaient comme celles d'un vieux chien, était assis dans un fauteuil roulant, sur la terrasse, et n'émettait que des sons à peine distincts.

Sa femme, dont les cheveux étaient devenus blancs, s'efforçait de se montrer enjouée mais, dès qu'elle n'était plus en présence de son mari, se mettait à pleurer.

— Je suis contente que tu sois venu, Émile ! Si tu savais comme je suis malheureuse dans ce pays ! Quand je pense que c'est moi qui en ai rêvé toute ma vie et qui ai poussé Louis à venir passer des vacances à Nice…

Berthe, elle, était pareille à ce qu'elle était aujourd'hui, aussi calme, aussi secrète, aussi peu moelleuse, et pourtant c'était une jolie fille blonde aux formes rebondies.

Dès les premiers mois, tout avait tourné mal pour les Harnaud à La Bastide. D'abord le fameux Van Camp, qui leur avait vendu la propriété et prétendait s'y entendre mieux qu'un architecte, avait fait des plans qui, quand les maçons et les charpentiers avaient tenté de les réaliser, s'étaient révélés impossibles.

Il n'avait tenu compte ni de la pente du terrain,

ni de l'éloignement du puits, ni de l'épaisseur des murs existants, de sorte qu'on avait dû défaire en partie ce qui était terminé, creuser un nouveau puits, changer la place de la fosse septique.

Sous prétexte qu'on était dans le Midi, Van Camp n'avait pas prévu de chauffage et, dès le premier hiver, on avait gelé, en dépit des radiateurs électriques qui faisaient sauter les plombs.

Enfin, Gros-Louis avait découvert, à Mouans-Sartoux, un bistrot où, à toute heure du jour, il trouvait de la compagnie, et il avait remplacé le vin blanc par le pastis.

À cette époque, Ada devait avoir environ neuf ans et, si elle était déjà dans le pays, Émile ne l'avait pas plus remarquée que les autres enfants qu'il apercevait parfois le long des chemins. Il n'avait pas non plus entendu parler de Pascali qui, pourtant, à certain moment, avait participé aux travaux de maçonnerie.

Comment l'auberge avait été malgré tout achevée, c'était presque un miracle, et, avec Gros-Louis devenu impotent, il n'y avait plus que deux femmes pour la tenir.

Gros-Louis avait encore vécu deux ans, une partie du temps dans son lit, une partie dans la salle du bas ou sur la terrasse, et Émile avait fini par comprendre, comme Mme Harnaud et comme Berthe, les sons qu'il émettait.

C'était Émile, à cette époque, qui occupait la mansarde devenue la chambre d'Ada et il y avait déjà le même lit de fer, quelques-unes des taches sur les murs, mais pas le chromo qui représentait la Sainte Vierge.

Les clients, au début, étaient rares. On avait mis un panneau sur la route Napoléon, avec une flèche qui indiquait le chemin de l'auberge. On faisait aussi de la publicité dans le journal de Nice et dans les dépliants distribués par le syndicat d'initiative de Cannes.

Certains jours, cependant, on ne voyait pas une âme. Le samedi soir, Émile se rendait à vélo à Cannes ou à Grasse, où il trouvait assez facilement une fille avec qui danser.

Curieusement, c'est un mois environ avant la mort de Gros-Louis que, sans raison, les affaires avaient commencé à marcher. Des gens de Cannes, médecins, avocats, commerçants, prenaient l'habitude de venir déjeuner ou dîner à quelques-uns à La Bastide. Cela faisait tache d'huile, et on en arrivait le dimanche à servir jusqu'à trente, puis quarante couverts.

Émile, en toque blanche, s'affairait dans la cuisine, où une certaine Paola, une vieille femme du pays qui avait précédé Mme Lavaud, épluchait les légumes, vidait les poissons et lavait la vaisselle, tandis que Berthe surveillait le service.

Gros-Louis était mort en pleine saison et on avait à peine eu le temps de l'enterrer. Après avoir parlé de transporter le corps à Luçon, Mme Harnaud avait fini par décider, pour ne pas compliquer les choses, de l'inhumer au cimetière de Mouans-Sartoux.

On avait trois pensionnaires, dont une Suissesse qui promettait de revenir passer plusieurs mois chaque année, et on ne pouvait pas leur donner longtemps le spectacle d'un deuil.

Sans s'en rendre compte, Émile était devenu plus ou moins maître de maison et il avait remplacé sa bicyclette par un vélomoteur, en attendant qu'on puisse se permettre l'achat d'une camionnette.

Il n'avait jamais fait la cour à Berthe. Il n'y avait pas pensé. Peut-être parce qu'il l'avait connue à l'école et qu'elle avait deux ans de plus que lui, il la regardait un peu comme une sœur aînée. Or il n'avait jamais beaucoup aimé sa sœur Odile, qui se montrait encore plus sévère avec lui que sa mère.

Un jour qu'il ouvrait la porte de la salle de bains, il avait surpris Berthe qui sortait de la baignoire, le corps rose et perlé d'eau, et il en avait ressenti la même gêne que quand, à deux ou trois reprises, il avait vu sa sœur déshabillée.

Il n'avait rien désiré, rien voulu, en définitive, ni la Côte d'Azur ni Berthe. Le hasard l'avait placé dans cette maison, qui était devenue la sienne presque à son insu. D'une autre génération que Gros-Louis, il s'était mieux adapté et il avait découvert le marché de Cannes, les pêcheurs, les parties de boules ; il avait même pris quelque peu l'accent du pays.

Il avait aussi changé insensiblement les menus et le décor.

Et voilà que, le premier hiver après la mort de son mari, Mme Harnaud commençait à lui lancer des allusions de plus en plus transparentes.

Au début, c'était :

— Je ne pourrai jamais me faire à ce pays...

Il avait beau moins pleuvoir qu'en Vendée, la pluie d'ici l'accablait plus que la pluie de son pays et, assise devant une fenêtre, elle fixait le ciel d'un œil dur.

Le froid aussi lui paraissait plus perfide et elle se plaignait de douleurs dans le dos, dans la nuque, dans les jambes.

Maubi s'occupait déjà de la vigne, du potager et de la basse-cour, car Gros-Louis, avec la maison, avait acheté un assez grand morceau de terre.

— Cet homme-là nous vole. Chaque fruit nous coûte deux fois plus cher qu'au marché. Vois-tu, Émile, pour ces gens-là, nous ne serons jamais que des étrangers bons à plumer...

Elle écrivait beaucoup à une de ses sœurs qui était veuve, à Luçon, et qui vivait avec sa fille, encore célibataire à quarante ans. Au fond, elle rêvait d'aller se joindre aux deux femmes. Elle n'en parlait pas encore, mais posait des jalons.

— Si seulement je pouvais revendre La Bastide !

Il était trop tôt pour y songer. On y avait englouti trop d'argent et l'affaire n'était pas assez lancée pour tenter les amateurs. Ou alors, par les agences, on n'en retirerait presque rien.

Émile commençait à connaître la musique. Gros-

Louis n'était pas le seul à s'être laissé séduire. Des centaines, des milliers d'autres, comme lui, qui, après une vie active, souvent dure, aspiraient à une demi-retraite, avaient cédé à la tentation de la Côte et mis toutes leurs économies dans une auberge, un restaurant, un café ou n'importe quel fonds de commerce.

La plupart crânaient et se prétendaient satisfaits, mais on les voyait errer, le soir, sur la Croisette ou autour du port, comme des étrangers perpétuels.

Ils n'appartenaient pas au pays et ils n'étaient pas non plus des touristes.

— Si encore, soupirait Mme Harnaud, Berthe pouvait épouser quelqu'un du métier !

Berthe ne paraissait pas connaître les tourments des autres filles et elle n'avait aucune aventure. Dès qu'elle disposait d'un moment, elle lisait, seule dans un coin, sourde à ce qui se disait autour d'elle.

Cela avait pris du temps. Et il avait fallu que Mme Harnaud fasse une bronchite, au plus mauvais de janvier, quand le mistral soufflait du matin au soir, pour la décider à être plus précise.

— Si je ne retourne pas là-bas, gémit-elle alors, je sens que je vais faire comme mon pauvre Louis et que je ne serai pas longtemps avant de le rejoindre au cimetière. Quand je pense qu'il est enterré dans un pays qui n'est pas le sien !

Elle oubliait que c'était elle qui en avait décidé ainsi.

— Ma sœur insiste pour que j'aille vivre avec elle. C'est impossible tant que je ne serai pas rassurée sur le sort de Berthe et de La Bastide…

Émile, qui avait compris, n'était pas enthousiaste. Pendant des semaines, il avait encore fait la sourde oreille, regardant parfois la jeune fille à la dérobée et se demandant, en somme, si le jeu valait la chandelle.

— Il faudra bien, Émile, que tu te maries un jour…

La vérité, c'est qu'il s'était mis à aimer La Bastide, malgré son air de décor de théâtre, et qu'il ne détestait pas non plus l'existence qu'il menait. Pourrait-il encore passer ses journées dans l'atmosphère étouffante d'une cuisine de grand restaurant ou de palace ?

Ici, il était son maître. Les clients étaient un peu des amis. Il lui plaisait, deux ou trois fois la semaine, d'aller faire le marché à Cannes, de rôder autour des pêcheurs qui rentraient, de boire un café ou un vin blanc avec les maraîchers.

Il commençait à connaître par leur nom des gens de Mouans-Sartoux et des Baraques et souvent, l'après-midi, pendant les mois creux, il allait faire avec eux sa partie de boules.

Il sentait confusément qu'il se laissait envahir par une sorte de lâcheté, et déjà il n'aurait plus le courage de vivre dans un pays dur et sombre comme Champagné, où l'on n'avait aucun cadeau à attendre de la terre et où il fallait se battre avec elle.

Un soir que Mme Harnaud était montée et qu'il restait seul au rez-de-chaussée avec Berthe, il était allé s'asseoir en face d'elle et, pendant un moment, elle avait continué de lire ou de faire semblant de lire.

— Ta mère t'a parlé aussi ?

Ils se tutoyaient depuis l'école, sans que cela créât aucune intimité entre eux.

— Ne t'occupe pas de ce que dit ma mère. Elle ne pense qu'à elle. Elle a toujours été comme ça.

Il la connaissait mal, au fond, même après trois ans passés dans la même maison, et il essayait de comprendre ses réactions.

— Je crois qu'il vaudrait mieux que nous en parlions.

— De quoi ?

Elle ne lâchait toujours pas son livre et il avait l'impression qu'elle était émue.

— De ta mère. Tu sais mieux que moi qu'elle ne restera pas longtemps ici. Elle ne rêve que de Luçon. Maintenant, c'est trois fois par semaine qu'elle écrit à sa sœur. Tu as lu ses lettres ?

— Non.

— Moi non plus.

C'était un entretien difficile et, vers ce moment-là, Berthe avait fait mine de se lever.

— Il y aurait un moyen qu'elle puisse partir et qu'elle ne perde cependant pas son argent.

Il avait eu peur qu'elle ne se méprenne, car il l'avait vue se durcir.

— Ce n'est pas pour moi que je parle, mais pour elle. Peut-être aussi pour toi.

— Je n'ai pas besoin qu'on s'occupe de moi.

— Je te déplais ?

Elle avait détourné la tête et c'est alors seulement qu'il l'avait soupçonnée de l'aimer depuis longtemps, en tout cas d'avoir décidé qu'il serait à elle.

Sur le coup, il en avait été un peu ému. Il avait eu pitié d'elle. Elle était orgueilleuse, il le savait, et elle se trouvait dans une situation fausse.

Il ne lui avait jamais fait la cour. Il n'avait jamais non plus éprouvé le moindre trouble en face d'elle comme cela lui arrivait en face d'autres femmes. La fois qu'il l'avait vue nue, il s'était retiré sans un mot et il ne lui en avait jamais reparlé.

— Écoute, Berthe…

Il tendit la main par-dessus la table. Cela aurait été plus facile de parler si elle y avait mis la sienne, mais elle restait raide sur sa chaise, sur la défensive.

— J'ignore si je ferai un bon mari…

— Tu cours après toutes les filles.

— Comme le font tous les garçons.

Il était sûr, à présent, de ce qu'il venait de soupçonner, et cela l'ennuyait un peu ; il se demandait s'il n'aurait pas préféré un refus.

— On pourrait essayer, non ?

— Essayer quoi ?

— J'ai de l'affection pour toi.

— De l'affection ?

Il s'était levé, parce qu'il sentait que c'était nécessaire, et il le faisait pour elle, pour qu'elle ne soit pas humiliée. Debout, il lui entourait les épaules de son bras.

— Écoute, Berthe...

Ne trouvant rien à dire, il s'était penché pour l'embrasser et avait trouvé des larmes sur ses joues.

C'était leur premier baiser, leur premier vrai contact. Quand leurs lèvres s'étaient désunies, elle avait murmuré :

— Ne dis rien...

Et elle était allée s'enfermer dans sa chambre.

Voilà comment une autre phase de sa vie avait commencé. Le lendemain, elle était plus pâle que d'habitude et, comme elle paraissait avoir honte, il lui avait lancé des coups d'œil complices, en essayant de mettre dans ses yeux une certaine tendresse.

La rencontrant dans le couloir, il l'avait embrassée sans qu'elle proteste, et une heure plus tard il avait été surpris de l'entendre chanter comme une femme heureuse.

Mme Harnaud devait avoir compris, car elle s'habitua à monter chez elle très tôt, les laissant seuls. Berthe lisait dans la salle à manger, tandis qu'il achevait son travail dans la cuisine, puis qu'il allait fermer les volets et les portes. Après un moment d'hésitation, il se campait enfin derrière elle et la prenait dans ses bras.

Il était dérouté de découvrir une femme qui se troublait et qui semblait attendre de lui autre chose que de simples baisers. Ce fut elle, la première, qui saisit la main d'Émile pour la poser sur sa poitrine et, après quelques jours, cette fille qu'il avait crue insensible se comportait comme une vraie femelle.

Le plus gênant, c'était la complicité latente de la mère. Elle ne pouvait pas ignorer ce qui se passait. Émile était persuadé qu'elle attendait que l'irréparable soit accompli pour être enfin rassurée sur son propre avenir.

Or l'irréparable ne pouvait pas se passer au rez-de-chaussée, où toutes les pièces étaient communes. Émile n'avait aucune raison de pénétrer dans la chambre de Berthe et celle-ci n'allait pas non plus monter dans sa mansarde.

C'était l'époque où on aménageait, afin de loger deux ou trois clients de plus pendant l'été, une ancienne écurie séparée du corps du bâtiment principal.

Comme le reste, on en faisait un endroit bien provençal, trop provençal, qu'on avait déjà baptisé le Cabanon.

On descendait une marche et le sol était fait de grandes dalles comme les vieilles églises. Pascali, le maçon, avait bâti une cheminée rustique et les fenêtres avaient des petits carreaux genre ancien, le plafond gardait ses poutres apparentes.

Un escalier de bois, qui ressemblait plutôt à une échelle, conduisait à un étage divisé en deux petites pièces sous le toit en pente.

Les touristes aiment ces endroits-là, qui ne ressemblent à rien et où ils ont l'impression d'être séparés des autres. On pourrait y caser une famille avec plusieurs enfants, ou encore des jeunes mariés en voyage de noces. Au rez-de-chaussée, le lit était remplacé par un large divan recouvert de cretonne à fleurs.

C'est dans le Cabanon que ça se passa. Les travaux n'étaient pas encore tout à fait terminés qu'Émile, après le déjeuner, avait pris l'habitude d'aller y faire la sieste.

Il s'étendait une heure, tout habillé, comme la plupart des gens du pays, n'entendant que le caquet des poules, du côté de la bicoque de Maubi, et, plus près, le roucoulement des deux pigeons.

Un après-midi, il venait de se coucher et n'était encore que dans un demi-sommeil quand il avait eu conscience du soleil qui pénétrait soudain par la porte ouverte. Puis le clair-obscur avait régné à nouveau. Les yeux clos, il sentait une présence dans la pièce.

Enfin, la voix de Berthe avait balbutié :

— Émile…

On était en mars, il s'en souvenait. On pressait les travaux, afin que tout soit prêt pour Pâques, qui marque plus ou moins le commencement de la saison.

Il savait pourquoi elle était là et, après tout, cela ne lui déplaisait pas.

Il s'était assis au bord du divan, tandis que Berthe continuait :

— Je suis venue te dire que maman…

Il préférait ignorer l'histoire qu'elle avait préparée et lui épargner un moment difficile.

— Viens.

— Mais...

Il l'avait attirée à lui et obligée, sans qu'elle offrît beaucoup de résistance, à s'étendre à son côté.

— Chut !

— Émile...

— Chut !... Tout à l'heure, je dirai à ta mère que c'est oui...

Après, il avait préféré rester seul un certain temps dans le Cabanon, car il ne voulait pas montrer son visage plutôt sombre. Il ne fallait pas que Berthe puisse penser qu'il était déçu.

L'était-il tellement ? À vrai dire, il n'avait ressenti aucune émotion, à peine le plaisir qu'il prenait avec n'importe quelle fille, et cela avait été accompagné d'une gêne qui gâchait tout.

Berthe ne l'impressionnait pas à proprement parler. À cette époque-là, elle ne lui déplaisait pas non plus et il n'avait encore aucune raison de lui en vouloir.

C'était difficile à expliquer et pourtant, depuis, il avait eu le temps d'y penser.

Elle lui était étrangère. Mais n'avait-il pas couché maintes fois, souvent avec une certaine exaltation, avec des filles qu'il ne connaissait pas une heure avant ?

Celles-là devenaient tout de suite des copines. Ce qu'ils faisaient ensemble, ils le faisaient pour leur plaisir commun. Il se créait entre eux une complicité enjouée.

Après, il restait possible de plaisanter.

— Dis donc ! tu en avais rudement envie !

Ou bien :

— Toi, tu es un drôle de type !

À quoi il trouvait toujours quelque chose à répondre.

C'était un jeu, qui ne tirait pas à conséquence. Si certaines prenaient des airs d'amoureuses et soupiraient mélancoliquement, il n'était pas tenté de les rassurer ou de leur faire du boniment.

— Tu es content de toi, non ? Tu te dis : une de plus !

Pourquoi pas ? Il faisait son métier de jeune mâle. Son père avait agi de même jadis, et tous les autres qui en parlaient parfois avec des sourires gourmands en vidant des chopines dans la salle fumeuse de l'auberge.

Avec Berthe, qui y avait mis une ardeur farouche, cela avait eu un côté mystique, comme s'ils accomplissaient ensemble un sacrifice rituel.

C'était presque un drame qu'ils avaient joué à deux ; et quand elle lui avait soudain mordu la lèvre, il avait eu l'intuition d'une menace.

Il était trop tard. À La Bastide, il ne la retrouva pas tout de suite. La vieille Paola, qui épluchait des légumes dans le clair-obscur de la cuisine, dont elle fermait toujours les volets, le regarda d'un air ironique.

On aurait dit que tout le monde le savait déjà,

que tout le monde s'attendait à ce qui venait de se passer, que tout le monde, en fin de compte, y avait plus ou moins participé.

Avant même qu'il prononçât un mot, Mme Harnaud, dès qu'il la rencontra, le regarda avec des yeux reconnaissants et il se demanda si elle n'allait pas lui ouvrir les bras.

— Je voudrais vous dire... commença-t-il.

Il entendit les pas de Berthe au-dessus de sa tête, ce qui suffit à lui rendre la tâche plus difficile.

— Je pense que, bientôt, si vous en avez toujours envie, vous pourrez aller vivre à Luçon...

Elle faisait celle qui ne comprenait pas, mais son visage était radieux.

— Berthe et moi avons décidé...

— C'est vrai ? ne put-elle s'empêcher de s'écrier.

— Si vous êtes d'accord, nous nous marierons...

— Embrasse-moi, Émile. Si tu savais comme... comme...

Elle ne put en dire plus, car elle sanglotait. Longtemps après, seulement, elle murmura :

— Si mon pauvre Louis pouvait savoir...

C'était encore un commencement.

3

Est-ce que cela aurait été différent s'ils avaient eu des enfants, ou si Émile avait été moins jeune ? Le temps avait passé si vite depuis qu'il avait quitté l'école qu'il lui arrivait encore d'en rêver et de se croire dans la cour de récréation.

Comme la plupart de ses camarades, sans doute, lorsqu'il était un gamin, il jouait un rôle, plus ou moins consciencieusement, s'efforçant de se montrer aux autres comme il aurait voulu être. Or le rôle qu'il avait choisi était celui d'une petite crapule, d'une jeune gouape cynique qui ne s'en laisse pas raconter.

Voilà que déjà, à peine adulte, il était marié, avait une belle-mère, des responsabilités, une affaire assez importante à diriger.

Il n'était pas homme à s'analyser par plaisir ni à se regarder dans une glace. Il lui arrivait néanmoins de se sentir flottant, mal à l'aise, comme s'il eût porté des vêtements trop grands pour lui.

Il se faisait l'effet, alors, de ces élèves de treize

ou quatorze ans, dont la voix commence à muer, et qui, à la distribution des prix, se collent une fausse barbe pour jouer un rôle de chevalier, de roi ou de vieux mendiant dans une pièce de théâtre.

Le monde n'était pas réel. Sa vie ne paraissait pas définitive. Il aurait pu, en se réveillant, retrouver un petit garçon qui ne pensait qu'à ses leçons et à ses billes, ou un jeune apprenti chipant une tranche de jambon quand le chef avait le dos tourné.

Il y avait pis. Mais, de cela, il ne voulait pas convenir, même au plus secret de son être, car c'était trop gênant : en face de Berthe, il avait parfois l'impression d'être en face de sa mère.

La raison n'en était pas une ressemblance physique. Il n'aurait pas pu dire quels étaient les points communs entre les deux femmes. Il y pensait d'ailleurs le moins possible. C'était une sensation fugitive, dont il s'efforçait aussitôt de se débarrasser.

Leur façon à toutes les deux de le regarder, par exemple, comme pour lire en lui, comme si c'était leur droit, *leur devoir* de le percer à jour.

— Tu me diras toujours la vérité, n'est-ce pas ?

Cette phrase-là était de Berthe. Une base qu'elle avait posée, unilatéralement, bien entendu, à leurs relations.

— Je ne supporterais pas que tu me mentes.

Sa mère, elle, disait :

— On n'a pas le droit de mentir à sa mère.

Elle ajoutait, sûre d'elle :

— D'ailleurs, si tu essayais, tu n'y parviendrais pas.

Avec Berthe, c'était sous-entendu. Elle l'observait. Du matin au soir, elle le tenait comme au bout d'un fil et, tout à coup, alors qu'il se croyait seul, il l'entendait lui poser une question.

— À quoi penses-tu ?

Pourquoi rougissait-il, même quand il n'avait encore rien à lui cacher ? Il se sentait coupable avant la lettre, réagissait comme chez ses parents ou à l'école, et cela l'humiliait, lui faisait serrer les poings.

C'était à ces moments-là, surtout, qu'il se mettait en tête que Berthe l'avait acheté. Ce n'était pas tout à fait une idée en l'air. Il y avait eu une scène brève, avec peu de mots échangés, mais qui ne l'en avait pas moins marqué pour le reste de sa vie.

On venait de choisir la date du mariage : la semaine après Pâques. Si on attendait davantage, en effet, il faudrait remettre la cérémonie à l'automne, à cause de la saison d'été. Plus tard, en outre, ses parents à lui, occupés eux aussi par leur auberge, ne pourraient pas venir à la noce et Mme Harnaud tenait à ce qu'ils soient là et à ce que les choses se passent dans les règles.

Pour elle, c'était déjà décevant que le mariage ne soit pas célébré à Luçon, en présence de toutes les personnes qu'elle connaissait.

Les deux femmes, il le soupçonnait, avaient une raison plus importante pour se presser. La mère savait aussi bien que sa fille ce qui s'était passé dans le Cabanon et l'une et l'autre craignaient que Berthe soit trop visiblement enceinte le jour de son mariage. Elles ne savaient pas encore qu'il n'y avait aucun danger. Et c'était une autre question qui ne tarderait pas à humilier Émile.

Peut-être, enfin, n'étaient-elles pas trop sûres de lui et se demandaient-elles s'il n'allait pas disparaître un beau matin.

Toujours est-il qu'un vendredi, quinze jours avant la date fixée, Mme Harnaud n'était pas montée se coucher comme à son habitude et était restée en bas avec eux. Son travail terminé dans la cuisine, Émile avait retrouvé la mère et la fille dans la salle à manger, où on se tenait quand il n'y avait pas de clients et où, parce qu'il faisait frais, on avait allumé deux ou trois ceps de vigne.

Il en aimait l'odeur. Quelque chose l'avait surpris dans l'attitude de Mme Harnaud qui, en apparence, tricotait paisiblement comme à l'ordinaire.

— Asseyez-vous un moment avec nous, Émile.

En Vendée, et quand il n'était que commis à La Bastide, elle le tutoyait, mais, d'instinct, lorsqu'il était devenu le seul homme de la maison, elle s'était mise à lui dire vous.

— Je me demandais si vous aviez pensé au contrat.

Il n'avait pas compris tout de suite.

— Quel contrat ?

— Le contrat de mariage. Quand on ne signe pas de contrat, cela signifie qu'on se marie sous le régime de la communauté des biens. Je ne sais pas ce que vous en pensez tous les deux, mais…

Elle n'acheva pas sa phrase, le « mais » suffisait à révéler sa pensée.

C'est alors qu'Émile avait remarqué, sur la table, un certain nombre de lettres pliées en quatre, dont l'écriture n'était pas celle de la sœur de Mme Harnaud. A l'envers, d'ailleurs, il parvenait à lire un en-tête imprimé : *Gérard Palud.*

Le nom lui était familier, car on en parlait chez ses parents, qui avaient eu plusieurs fois recours à l'homme de loi. On le désignait ainsi bien qu'il eût une profession mal définie. Il tenait, non loin des Trois Cloches, à Luçon, une épicerie aux vitres verdâtres où, les jours de marché, les gens de la campagne faisaient la queue.

Palud avait travaillé un certain temps comme clerc de notaire, puis s'était établi à son compte, conseillant ses clients dans leurs transactions, qu'il s'agît d'achat ou de vente de biens, de testaments, de placements, de partages après décès. Il s'occupait aussi, à titre officieux, de leur procès, et il était un peu aux vrais avocats, aux vrais avoués et aux notaires, ce qu'un rebouteux ou un guérisseur est aux médecins.

— Je suppose, reprenait Mme Harnaud après un silence, que vous avez tous les deux l'intention de faire un contrat de mariage ?

C'est alors que Berthe avait levé la tête et qu'elle avait regardé Émile d'un regard qu'il n'oublierait jamais, avant de laisser tomber, la lèvre un peu frémissante :

— Non.

La mère s'était méprise, avait cru à de la générosité de la part de sa fille, ou à l'aveuglement de l'amour. La preuve, c'est qu'elle avait riposté, non sans une certaine gêne :

— Je sais ce qu'on pense quand on est jeune. Il n'en est pas moins nécessaire de voir plus loin, car nul ne peut prévoir l'avenir.

Berthe avait répété fermement :

— Nous n'avons pas besoin de contrat.

Il n'aurait pas pu dire au juste par quel mécanisme ces mots constituaient une sorte de prise de possession de sa personne. Berthe ne l'avait-elle pas acheté, bien mieux et plus sûrement que par un contrat en bonne et due forme ?

Si elle dédaignait tout contrat, c'est qu'elle était sûre d'elle et qu'elle ne se fiait qu'à elle-même pour tenir son mari.

— Je ne veux pas insister. C'est votre affaire à tous les deux. Si ton pauvre père vivait, je crois cependant…

— Vous aviez un contrat de mariage, toi et lui ?

— Le cas n'était pas le même.

Il était pire, puisque Mme Harnaud, née dans une cabane des marais, était, avant son mariage, une petite bonne à l'Hôtel des Trois Cloches, et que Gros-Louis avait attendu pour l'épouser qu'elle fût enceinte de quatre mois. Émile le savait d'autant mieux qu'il avait eu les papiers en main.

— Pour ce qui est de La Bastide et de ma part…

Elle se repliait à regret sur les positions préparées par elle et Palud, avec qui, on le découvrait, elle avait échangé les dernières semaines un assez grand nombre de lettres.

— Je suppose que tu désires entrer dès maintenant en possession de la part qui te revient de ton père ?

Le visage fermé, attentif, Berthe écoutait, évitant de répondre trop vite.

— En ce qui concerne La Bastide, je vous fais confiance à tous les deux. Émile est intelligent, courageux, et j'ai vu la façon dont il mène l'affaire. Il n'y a donc pas de raison pour que je retire mon argent…

Elle avait une idée de derrière la tête, qui lui avait peut-être été soufflée par Palud.

— Comme je vais vivre à Luçon et que, maintenant que mon pauvre mari est mort, je n'en ai pas pour longtemps…

Le chemin était tortueux, mais elle arrivait enfin au but.

— Pour vous deux, c'est désagréable d'avoir à me rendre des comptes chaque année. Quant à moi, à mon âge…

Elle ne disait pas qu'elle n'avait qu'une confiance relative en son gendre.

— Le plus simple, afin d'éviter toute discussion, est que vous me versiez une rente viagère. De cette façon, vous êtes maîtres chez vous et je n'ai plus rien à voir avec le commerce…

Ce n'était d'ailleurs pas vrai. Parmi les papiers pliés en quatre devant elle se trouvait un projet de convention de la main de Palud. Si l'acte prévoyait une rente viagère fort supérieure à la moitié du revenu actuel de La Bastide, il réservait aussi à Mme Harnaud, en guise de garantie, une hypothèque sur la maison, sur les terres et sur le fonds de commerce.

— On m'a donné l'adresse d'un notaire, à Cannes, devant qui il nous suffit d'aller signer…

En apparence, Berthe ne s'était pas occupée de cette transaction. Elle n'avait certainement pas été tenue au courant de la correspondance de sa mère avec l'homme de loi de Luçon. Pour sa part, le mariage suffisait, sans autres papiers.

C'était peut-être, en partie, de l'amour. Il était souvent arrivé à Émile d'y penser depuis, et de se poser la question. Il éprouvait des scrupules à la noircir. Il voulait bien admettre qu'elle avait pour lui une sorte d'amour. Il se demandait même si cela n'avait pas commencé avant son départ de Luçon, alors qu'elle n'était qu'une gamine.

Il existe des filles qui, ainsi, à peine sorties de l'enfance, décident que tel garçon deviendra leur mari. C'était un fait qu'elle ne s'était donnée à aucun autre, qu'elle n'avait pas couru avec les jeunes gens et que, quand elle était venue le rejoindre au Cabanon, elle était vierge.

Mais la mère d'Émile n'aimait-elle pas son fils, elle aussi, *à sa façon* ?

Quand on avait parlé d'un contrat de mariage destiné à la défendre, en définitive, contre son mari, à sauvegarder sa fortune, Berthe avait dit non, simplement, fermement.

Espérait-elle qu'il allait lui en être reconnaissant et voir dans ce geste de la générosité ou un aveuglement amoureux ?

Il advenait tout le contraire. Émile n'avait pas protesté, ni discuté. Il acceptait. Surtout parce qu'il n'avait pas voix au chapitre, parce que, jusqu'à présent, en fait, il n'avait été que le commis de Gros-Louis, puis des deux femmes.

Les rôles, dans les deux couples, étaient renversés. Gros-Louis avait épousé sa servante après lui avoir fait un enfant.

Sa fille épousait leur domestique après s'être donnée à lui.

Tant pis si Émile avait tort. En tout cas il était sincère : pour lui, il n'y avait aucune différence entre les deux cas.

Et, si l'idée de s'en aller en plantant là la mère et la fille l'effleura un instant, il ne s'y attarda pas. Peut-être, depuis longtemps, soupçonnait-il que ce qui arrivait était la seule solution logique.

La Bastide était devenue sa chose personnelle. Il l'avait trouvée encore informe, inachevée, et on aurait pu croire alors à une faillite imminente.

Gros-Louis seul, même sans sa maladie, aurait probablement abandonné parce que, contre son attente et ses espoirs, il ne s'était pas adapté.

C'était un homme en exil, un homme qui avait joué la mauvaise carte et qui, au fond de lui-même, avait peut-être été soulagé de se voir délivré de ses responsabilités par l'hémiplégie.

Ainsi était-il hors du jeu. À Émile et aux deux femmes de se débrouiller.

Il était parti, presque sans agonie, et son dernier regard n'avait été ni pour sa compagne ni pour sa fille, mais pour son commis.

Dieu sait ce que ce regard-là signifiait. Il valait mieux ne pas y penser, ne pas essayer de deviner le message qu'il contenait peut-être.

On avait donc signé les papiers établis par Palud, et le notaire de la rue des États-Unis avait paru surpris.

— Vous êtes tous les trois d'accord ?

Cela constituait déjà une sorte de mariage, mais un mariage à trois, avec Mme Harnaud qui disait oui la première et se penchait ensuite pour signer avec la plume qu'on lui tendait.

Ensuite, le père et la mère d'Émile étaient arrivés de Champagné, la veille de la noce, le père dans son complet noir, la mère avec une robe neuve, à fleurs blanches sur fond violet.

Odile n'avait pas pu venir, car elle attendait un enfant d'un jour à l'autre. Quant au frère, Henri, il devait rester là-bas pour tenir l'auberge.

La sœur et la nièce de Mme Harnaud avaient fait le voyage, mais trois jours plus tôt, afin d'en profiter pour voir la Côte d'Azur, et les trois femmes s'étaient rendues à Grasse, à Nice et à Monte-Carlo en autocar.

Le mariage avait eu lieu à la mairie et à l'église de Mouans-Sartoux. Beaucoup de gens du pays y assistaient, avec plutôt l'air d'être là en curieux que de participer à la cérémonie.

Si Émile était plus ou moins adopté par le pays, les autres, y compris Berthe, restaient des étrangers.

À cause du commerce, il n'y avait pas eu de voyage de noces. Simplement, après le repas, qui s'était prolongé assez tard dans la nuit, Émile et Berthe étaient montés dans la chambre qu'occupaient autrefois Gros-Louis et sa femme.

— Pour les deux dernières nuits que je passe ici, je prendrai ta chambre, avait dit Mme Harnaud à sa fille.

C'était impressionnant comme une transmission de pouvoirs. Ils occupaient désormais la chambre des grandes personnes, des parents, avec le lit de noyer, l'armoire à glace, la commode.

Émile, qui avait trop bu – tout le monde avait trop bu, sauf Berthe –, avait tenté, au moment de se déshabiller, d'adresser un petit discours à sa femme. N'était-il pas utile d'établir leurs situations respectives une fois pour toutes ?

Le vin et les petits verres aidant, il avait, dans la soirée, imaginé une sorte de déclaration préliminaire.

— Tu as eu ce que tu as voulu. Nous voici mariés. Dès ce soir…

Il avait construit dans sa tête des phrases entières, qui lui paraissaient magnifiques sur le moment, mais qu'il avait déjà oubliées.

Il restait une chose qu'il avait envie de lui dire, une déclaration pour laquelle il manquait de courage.

— Puisque nous sommes mariés, je ferai l'amour avec toi. Il vaut mieux que je t'avoue, cependant…

On ne peut pas dire cela à une femme, pas même à une fille de rencontre. C'était néanmoins la vérité. Il n'avait pas envie d'elle. Il était obligé de faire un effort. Était-ce sa faute si, bien qu'il n'y eût aucune ressemblance entre elles, elle le faisait penser à sa mère ?

Heureusement que cette journée avait fatigué Berthe. Elle était tendue, excédée. C'était elle qui avait murmuré :

— Pas ce soir.

Cela aussi constituait une indication : ce serait elle qui déciderait des soirs où il la prendrait et des soirs où ils se coucheraient sans rien faire.

Il n'était pas malheureux. La preuve, c'est que, le lendemain matin, quand il descendit le premier et ouvrit les volets de la cuisine, il éprouva la même joie que les autres jours à regarder le paysage, le vert pâle des deux oliviers et le vert plus sombre des pins dans le soleil, le miroitement doré de la rade de La Napoule et les deux pigeons qui roucoulaient près de la porte.

Ce n'étaient pas les mêmes pigeons qu'à présent. Les couples s'étaient succédé, génération après génération. De temps en temps, au lieu de manger les jeunes, on mangeait les vieux. Il s'agissait qu'il y ait toujours un couple à roucouler autour de la maison, car cela plaisait aux clients de les voir se caresser du bec en gonflant le jabot.

Mme Harnaud avait décidé de venir passer un mois sur la Côte chaque année, l'hiver de préférence, quand il n'y avait pas de clients et aussi quand le temps était le plus désagréable à Luçon. C'était écrit dans l'accord qu'ils avaient passé et, si elle n'avait pas pensé elle-même à cette précaution, Palud l'avait fait à sa place.

Son premier regard, en novembre, avait été pour le ventre de sa fille. Un peu plus tard, seule avec elle, elle avait murmuré, non sans un reproche inexprimé :

— J'espérais te trouver dans une position intéressante.

Cela allait devenir une rengaine, une obsession. Dans toutes ses lettres, on retrouvait une même phrase :

... Surtout, ne manque pas de m'écrire dès que tu auras des espoirs de ce côté-là...

Le deuxième hiver, il y avait comme un soupçon dans le regard qu'elle laissait peser, non plus sur sa fille, mais sur son gendre. Et, vers la fin de son séjour, elle n'avait pas pu se retenir d'en parler.

Ils étaient en train de manger. C'était encore la vieille Paola qui les servait. Déjà la guerre avait commencé entre celle-ci et Berthe, une guerre sourde, latente, de tous les jours, dans laquelle il n'allait pas tarder d'y avoir un vainqueur.

Berthe, naturellement ! Et c'était vrai que Paola était sale, qu'elle n'avait jamais pris un bain de sa vie et qu'elle répandait une odeur de vieux jupons.

Mais c'était vrai aussi que Paola s'était passionnément attachée à Émile, que, pour elle, il était l'homme, qu'il n'y avait donc pas à discuter ses faits et gestes et que tout ce que disait Berthe n'avait pas d'importance.

Si Berthe lui donnait un ordre, Paola ne répondait ni oui ni non, gardait un visage hermétique, comme sculpté dans du vieux bois d'olivier, et, un peu plus tard, allait demander confirmation à Émile.

Il y aurait d'autres petites guerres comme celle-là par la suite. Émile était résigné d'avance.

Il sentait, d'avance aussi, rien qu'au frémissement des lèvres de sa belle-mère, que celle-ci allait l'attaquer.

Le même phénomène se produisait avec Berthe. Lorsqu'elle avait à faire une remarque désagréable, son visage devenait vide d'expression, sans doute parce qu'elle se surveillait, mais elle ne pouvait empêcher sa lèvre supérieure de trembler.

— Vous savez, mes enfants, j'ai lu dernièrement dans le journal un article qui vous intéressera. Je l'ai d'ailleurs découpé. Il est dans mon sac. Je vous le donnerai tout à l'heure…

L'article n'avait pas paru dans un journal, mais dans un hebdomadaire populaire qui consacrait deux pages aux horoscopes, deux autres à des méthodes plus ou moins nouvelles de guérir et le reste aux vedettes de cinéma.

— Jadis, quand un ménage restait sans enfants, on se figurait que c'était toujours la faute de la femme. Il paraît que ce n'est pas exact, que c'est même le plus souvent à cause de l'homme…

La lèvre frémissait de plus belle, les yeux fixaient le verre de vin sur la table cependant que la voix devenait suave.

— Peut-être devriez-vous consulter un médecin, Émile ?

Il n'avait rien dit, s'était contenté de devenir pâle, les narines pincées.

S'il avait une réponse sur le bout de la langue, il se jurait de la taire :

— J'aimerais mieux faire un enfant à la première fille venue afin de vous prouver que j'en suis capable…

Il est vrai que Berthe répondait pour lui.

— Je ne désire pas d'enfants, maman.

— Toi ? Qu'est-ce que tu racontes ?

— La vérité. Je suis très bien ainsi.

Elle le pensait, c'était évident. Elle avait obtenu tout ce qu'elle désirait. Non seulement Émile lui appartenait, mais La Bastide aussi, et, si des clients s'y trompaient, elle n'était pas moins la vraie patronne.

C'est le nom, d'ailleurs, que les gens du pays lui donnaient : la patronne. Ils ne l'avaient pas choisi au hasard. Ils avaient l'habitude d'observer, surtout les étrangers, et ils connaissaient bien Émile qui, les après-midi d'hiver, jouait avec eux aux boules.

La deuxième année, il avait acheté une camionnette. Puis Berthe l'avait obligé à mettre Paola à la porte, car elle tenait à ce que ce soit lui qui parle, qui ait l'air de prendre la décision.

— Si elle reste dans la maison, je ne descends plus de ma chambre.

Quand Émile avait pris Paola à part, celle-ci avait déjà compris.

— Ne vous tracassez pas pour moi, mon pauvre monsieur. Il y a longtemps que je m'y attends et que je suis prête à prendre mes cliques et mes claques.

Berthe, qui avait mis une annonce dans le journal, avait choisi Mme Lavaud parmi les candidates. C'était enfin une personne propre, qui avait un certain air de dignité.

Berthe espérait-elle que la nouvelle ferait bloc avec elle au lieu de se mettre du côté d'Émile ?

Car on en était là. Ce n'était pas apparent. Il n'y avait pas de lutte ouverte, ni de clans déclarés.

Ce qu'il y avait, c'est que personne ni dans la maison, ni dans le pays, ne l'avait adoptée. Elle restait une étrangère. On était poli avec elle, trop poli même ; on lui témoignait volontiers un respect exagéré et elle était assez subtile pour comprendre.

Quand le facteur entrait, le matin, laissant son vélo sur la terrasse, il allait s'accouder au bar.

— Alors, Émile ? On fait la partie, ce soir ?

S'il apercevait Berthe, il retirait son képi et semblait gêné de boire le verre de rosé qu'Émile venait de lui servir.

Ce n'était rien en soi, mais il en était ainsi pour tout le monde.

— Émile est ici ?

— Non. Il est descendu à Cannes.

— Cela ne fait rien. Je repasserai.

— Je ne peux pas lui faire la commission ?

— Pas la peine.

Les gens connaissaient ses habitudes, savaient où le retrouver. Il se créait, autour de Berthe, contre elle, comme une franc-maçonnerie à laquelle elle se heurtait sans cesse.

— Vous n'avez pas vu mon mari ?

Au lieu de répondre, on la regardait d'un air faussement naïf comme si on voulait éviter de le trahir.

Pour se venger du départ de Paola, Émile s'était acheté un petit bateau, un « pointu » d'occasion. Il en avait envie depuis longtemps. Pour lui, cela faisait partie du Midi, c'était le complément de La Bastide, des parties de boules devant le bureau de poste de Mouans-Sartoux, du marché Forville et du petit bar où il s'attardait devant un café ou un verre de vin blanc.

Cependant le bateau, au moment où il l'avait acheté, faisait figure de défi. Il n'en avait pas parlé d'avance à sa femme, s'était contenté d'annoncer, un soir :

— J'ai acheté un « pointu ».

Il savait qu'en son for intérieur elle recevait le choc, même si elle avait assez de sang-froid pour n'en rien laisser paraître.

— Neuf ?

— D'occasion. Il est en parfait état. J'ai pu avoir tout l'attirail de pêche avec, y compris cinq gireliers, deux paniers à congres et une boguière.

Elle ne lui demanda pas combien il avait payé. Elle ne lui demanda pas non plus quand il comptait aller à la pêche.

En pleine saison, il ne pouvait y songer, car il avait du travail dès son réveil. Les mois d'hiver, la mer était rarement assez calme et, de toute façon, la pêche était moins bonne.

Février, mars, avril, parfois mai étaient des mois creux, pendant lesquels on n'avait guère que deux ou trois pensionnaires à la fois, comme les Belges d'à présent, avec, à midi et le soir, quelques clients de passage.

Il en était à peu près de même en octobre et en novembre, jusqu'aux grandes pluies qui marquaient le début de l'hiver.

Il se levait alors dès quatre heures du matin, s'habillait dans l'obscurité, et jamais l'idée ne lui serait venue de poser un baiser sur le front de Berthe qui feignait de dormir. Dès qu'il saisissait le volant de la camionnette, il devenait un homme libre et il descendait vers le port en sifflotant, trouvait, le long de l'appontement, d'autres amateurs de pêche, presque tous plus âgés que lui, qui préparaient leurs engins et mettaient leur moteur en marche.

— Salut, Émile !

— Salut, vieux bouc !

Il s'était mis à plaisanter comme eux, à exprimer parfois des vérités cruelles sous le couvert d'une drôlerie.

— Comment va ta patronne ? Elle a oublié de t'enfermer, cette nuit ?

On lui rendait la pareille, bien entendu. C'étaient d'ailleurs les autres qui avaient commencé.

Il aimait le bourdonnement du moteur, le bruit soyeux de l'eau contre la coque, la vue du sillage blanchâtre qui allait en s'élargissant, et c'était un plaisir, ensuite, de laisser descendre la grosse pierre qui servait d'ancre, de casser les bernard-l'ermite qui lui servaient d'appâts pour la pêche au boulantin.

Il s'était familiarisé avec les couleurs des poissons si différents de ceux qu'il lui était arrivé de pêcher à L'Aiguillon, en Vendée, quand il était gamin. Il avait appris à détacher les rascasses épineuses de l'hameçon ou du filet, et à couper d'un coup de couteau tranchant la tête des murènes à la morsure dangereuse.

Le ciel s'éclaircissait, le bateau se balançait dans

un univers qui paraissait chaque fois neuf et, peu à peu, l'air devenait plus chaud, le soleil montait à l'horizon, Émile retirait sa veste, parfois sa chemise.

Cela ne valait-il pas le prix qu'il payait ? Il lui arrivait de se poser la question, moins brutalement. Pourquoi gardait-il l'impression qu'on l'avait trompé ?

Il flairait, à la base de leur vie, Dieu sait quelle tricherie. Berthe, elle, était parvenue à ses fins, avait fait exactement ce qu'elle avait décidé de faire, et il soupçonnait la mère Harnaud d'avoir été sa complice, comme Palud était son complice à elle.

Même le pauvre Gros-Louis, qui n'était plus là, devait déjà avoir, quand il lui avait écrit, une idée de derrière la tête.

— *T'es un enfant de chœur, Émile !*

Ce n'était pas à propos de Berthe qu'on lui avait dit ça, mais aux boules, dans les débuts. Il s'était mis en tête de devenir un aussi bon joueur que les autres, lui qui jusqu'alors n'avait jamais touché une boule. Au début, quand il devait tirer ou pointer, il lui venait l'expression d'un écolier à qui on pose une question difficile et on se moquait de lui parce qu'il laissait passer un bout de langue.

Alors, parfois, sur la terrasse, il s'exerçait, tout seul, afin de leur montrer, un jour, qu'il les valait.

C'était le docteur Chouard qui, le surprenant ainsi, lui avait lancé :

— *T'es un enfant de chœur, Émile !*

En matière de boules, en tout cas, il avait démontré que ce n'était pas vrai, puisqu'il était devenu un des meilleurs pointeurs de Mouans-Sartoux.

Il arrivait au docteur Chouard de venir faire la partie. Il habitait Pégomas, une maison délabrée, où Paola, quand elle avait dû quitter La Bastide, avait trouvé refuge.

Le docteur était aussi débraillé que sa servante, la chemise toujours douteuse, la cravate, quand il en portait une, mal nouée, des boutons manquant à son veston et même à sa braguette.

Comme Émile, il était venu un jour, assez jeune, d'une autre contrée, des environs de Nancy, et sans doute qu'alors il avait des ambitions. Il avait eu une femme, une maison bien tenue, la même qui, à présent, du dehors, paraissait abandonnée.

On racontait que sa femme était partie avec un touriste anglais. Mais il n'avait pas attendu son départ pour se mettre à boire et pour négliger sa clientèle.

Pendant un certain nombre d'années, il avait été, aux boules, le meilleur tireur, et il avait fait partie de la quadrette qui avait gagné deux ans de suite le championnat de Provence.

Son adresse lui revenait de temps en temps, par miracle, car il y avait longtemps qu'on ne pouvait plus dire quand il était ivre ou quand il ne l'était pas.

Paola buvait aussi. Émile l'avait surprise plusieurs fois tétant à même la bouteille. Il ne lui avait rien dit. Il s'était gardé d'en parler à Berthe.

Pour des raisons précises, Émile avait réservé un rôle important au docteur Chouard dans ce qui allait se passer. On pouvait même dire que, sans Chouard, ce qu'il avait patiemment combiné pendant les derniers mois ne tenait pas.

Ce n'était pas pour rien qu'il avait choisi un dimanche, ni qu'il venait de s'assurer que le docteur Guérini était bien parti en mer à bord de son bateau.

Quant à Ada, si elle avait maintenant l'air de jouer dans sa vie un rôle de premier plan, elle n'était en réalité qu'un accessoire, une cause secondaire. Mais, cela, personne ne le croirait.

La première fois qu'il l'avait remarquée, elle devait avoir quatorze ans et elle portait déjà une robe en coton noir qui pouvait passer pour un tablier d'écolière.

Il descendait le chemin en lacet, à bord de la camionnette, quand il l'avait aperçue, surgissant de la pinède. Il s'était demandé ce qu'elle faisait là. Il ignorait encore qu'elle était la fille du vieux maçon Pascali, et par conséquent qu'elle habitait de l'autre côté du bois de pins.

Il en gardait l'image d'une fille maigre, noiraude, aux longues jambes, aux cheveux broussailleux, au regard d'animal.

Il l'avait revue un certain nombre de fois et il avait appris, à Mouans-Sartoux, quelques détails sur son père. Pascali, qui n'était pas né en France, y était venu tout jeune, avait d'abord travaillé dans la montagne, où on construisait alors une nouvelle route.

D'une première femme, morte depuis, il avait eu deux enfants, un garçon et une fille, qui approchaient à présent de la quarantaine. Le garçon, devenu ingénieur, vivait à Clermont-Ferrand. La fille, assurait-on, avait mal tourné et, si on possédait peu de détails, certains affirmaient l'avoir rencontrée à Paris où elle faisait le trottoir du côté de la Bastille.

Un beau jour, Pascali, seul et déjà âgé, s'était installé, non loin de Mouans-Sartoux, dans une cabane abandonnée et avait commencé à travailler de son métier pour les uns et les autres.

Puis, à l'étonnement général, il avait acheté un bout de terre sur la colline et s'était mis, à temps perdu, à s'y bâtir une maison.

On ne le voyait jamais au café. Il ne jouait pas aux boules, ne fréquentait personne. Il allait acheter lui-même sa nourriture et sa bouteille de vin quotidienne et tout le monde le considérait comme une sorte de sauvage, certains se demandaient s'il n'était pas un peu fou.

La maison terminée, il avait disparu pour plusieurs jours et était revenu avec une femme de vingt-cinq ans plus jeune que lui qu'accompagnait une fillette.

Depuis, c'était toujours lui qui faisait le marché, la femme ne mettait pour ainsi dire pas les pieds au village. Un jour que le facteur avait un avis des contributions à remettre, il avait en vain essayé d'ouvrir la porte. Comme il entendait remuer à l'intérieur, il avait appelé :

— Francesca !

Elle avait fini par répondre par un grognement.

— Ouvre, Francesca, j'ai une lettre pour ton mari.

— Glissez-la sous la porte.

— Tu ne peux pas ouvrir ?

— Je n'ai pas la clef.

Ainsi avait-on appris qu'il arrivait à Pascali d'enfermer sa femme. Quant à savoir d'où venait le bruit qu'il l'avait balafrée exprès, afin de l'enlaidir et d'en dégoûter les autres hommes, c'était plus difficile.

En tout cas, avant que le même Pascali vienne présenter sa fille comme servante à La Bastide, une histoire de femme avait plus ou moins servi d'épreuve de force entre Émile et Berthe.

Il y avait huit pensionnaires, à ce moment-là, dans la maison, dont deux enfants des environs de Paris avec leur mère, qui était la femme d'un entrepreneur de constructions.

Les clients s'étaient-ils rendu compte de la partie qui se jouait ?

Une Anglaise avait débarqué du car, au bas de la route, et avait gravi la pente en portant elle-même ses valises. Elle pouvait aussi bien avoir vingt-cinq ans que trente et même que trente-cinq. S'approchant, en sueur, du bar monté sur des vis de pressoir, elle avait commandé d'une voix un peu rauque :

— Un double scotch.

Il était quatre heures de l'après-midi et c'était Émile qui servait, en veste blanche. Il se souvenait qu'il faisait très chaud et qu'il n'avait pas sa toque de cuisinier sur la tête. Il se souvenait aussi des grands cercles de transpiration sous les bras de la voyageuse.

— Vous avez une chambre libre ?

Elle avait saisi une cuiller pour retirer la glace qu'il avait mise, par habitude, dans le whisky.

— Pour combien de temps ?

— Jusqu'à ce que je m'embête.

N'était-ce pas à croire que Berthe avait des antennes ? Elle était occupée à faire ses comptes à une petite table près de la fenêtre. De sa place, elle n'en prononça pas moins à haute voix :

— Tu n'oublies pas, Émile, que la dernière chambre est retenue pour samedi.

Ce n'était pas tout à fait exact. La vérité, c'est que, certains samedis, un avocat de Nice, qui était marié, venait passer la nuit avec sa secrétaire. Ce n'était jamais sûr. Et, quand il n'y avait pas de chambre disponible à La Bastide, le couple n'était pas en peine d'en dénicher dans quelque auberge de l'Esterel.

— Elle n'est pas retenue ferme, avait-il répliqué.

Et, à la nouvelle venue :

— Si vous voulez que je vous montre la chambre.

La précédant dans l'escalier, il avait ouvert une porte. L'Anglaise avait à peine jeté un coup d'œil dans la pièce. Par contre, elle avait questionné, comme si elle devinait bien des choses :

— C'est votre femme ?

4

Après vingt-quatre heures, il ne savait pas encore s'il était attiré vers elle par un désir charnel ou s'il avait envie de lui prouver qu'il n'était pas le petit garçon qu'elle feignait de voir en lui.

Elle s'appelait Nancy Moore et, d'après son passeport, elle avait trente-deux ans. Elle était réellement journaliste.

— J'écris des histoires stupides pour de stupides magazines dans lesquels de pauvres femmes cherchent la façon d'être heureuses.

Ce n'était pas tant la phrase qui l'avait frappé que l'accent, non seulement l'accent anglais, mais un déroutant mélange d'ironie, de cynisme et de passion.

Il avait eu le temps, sur la Côte d'Azur, d'apprendre à connaître les gens de son pays, hommes et femmes, et il les classait en deux catégories. D'abord les touristes ordinaires, qui viennent passer un certain temps sur le continent pour y chercher le soleil et le pittoresque, pour regarder des décors et des êtres différents, goûter avec méfiance à certains plats dont on leur a beaucoup parlé et repartir plus satisfaits que jamais d'être eux-mêmes.

Les autres, il usait d'un terme local pour les désigner. Il les appelait les « mordus ». C'étaient les intoxiqués de la France ou de l'Italie, d'un certain genre de vie, d'un certain laisser-aller, et ceux-là devenaient plus méridionaux que les Méridionaux, plus italiens en Italie que les Italiens ; ils ne retournaient chez eux que quand c'était indispensable et certains n'y retournaient jamais.

Il y en avait un à Mougins, un cas extrême, un garçon qui n'avait pas plus de trente-cinq ans et qui était, assurait-on, le fils d'un lord. Il vivait toute l'année le torse nu sous le soleil ou sous la pluie, sans chapeau ; ses cheveux blond cendré, qui devenaient de plus en plus clairs, lui tombaient sur la nuque, et il laissait pousser sa barbe, portait, l'hiver, un pantalon de toile bleue, l'été, un short de même couleur, se chaussait d'espadrilles ou marchait pieds nus.

Il peignait. On le rencontrait dans les vignes ou au détour d'un sentier avec son chevalet, mais cela n'était sans doute qu'un alibi. Il descendait rarement à Cannes, se montrait encore moins sur la Croisette, ce qui ne l'empêchait pas de recevoir des jeunes gens venus on ne savait d'où et, à la tombée du jour, de se promener avec eux la main dans la main.

Nancy Moore avait presque autant de mépris que lui pour la toilette. Sous sa robe de coton clair, elle ne portait pas de soutien-gorge et ses seins, qui étaient lourds, pendaient un peu, on voyait leur pointe bouger et frotter le tissu quand elle parlait. Mal coiffée, elle ne se donnait pas la peine de se maquiller, ni, quand son visage luisait de sueur, d'y mettre de la poudre.

Jamais personne avant elle n'avait regardé Émile avec autant d'ironie, ni avec autant de tendresse et de gourmandise tout ensemble.

Tout de suite, elle avait réglé son emploi du temps. Elle en passait une bonne partie sur la terrasse, à écrire d'une grande écriture, penchée, non vers la droite, comme la plupart des gens, mais vers la gauche. De temps à autre, souvent à vrai dire, elle s'interrompait pour se hisser sur un tabouret du bar, même à neuf heures du matin.

— Émile ! J'ai soif !

Elle n'avait pas attendu d'être une habituée pour l'appeler par son prénom. Elle changeait de boisson selon l'heure, tantôt du vin rosé, tantôt du pastis, tantôt enfin, surtout le soir, du whisky, et sa voix était toujours un peu rauque, ses yeux brillants, sans qu'on pût jamais affirmer qu'elle était ivre.

On sentait chez elle un amour avide de la vie, des gens, des bêtes et des choses. Il l'avait vue caresser avec sensualité le tronc noueux d'un des vieux oliviers de la terrasse et elle agissait de même avec les vis de pressoir, au bois fendillé sous le vernis, qui soutenaient le bar.

— Ce sont des vraies, Émile ? Elles ont quel âge ?

— Au moins deux siècles. Peut-être trois.

— Ainsi, elles ont servi à faire le vin pour des générations d'hommes et de femmes…

Elle pénétrait dans la cuisine pour en renifler les odeurs, soulever le couvercle des casseroles, tripoter les poissons, les poulets. Elle reconnaissait les herbes aromatiques et s'en frottait le bout des doigts comme d'autres femmes se parfument.

— Comment appelez-vous ces petites bêtes qui ont la couleur des cadavres ?

— Des encornets.

— Ce sont eux qui crachent un nuage d'encre quand ils vont être pris, n'est-ce pas ?

Il lui avait montré la petite poche contenant le liquide noir.

— Avec cette encre, je fais la sauce…

Elle prenait des notes qui lui servaient peut-être pour ses articles. Elle avait toujours l'air de le défier, faisant exprès de le frôler, de laisser traîner ses seins sur son bras ; et, quand elle se penchait, on les voyait, nus et indécents, brunis par les bains de soleil, dans l'échancrure trop large du corsage.

— Votre femme est plus âgée que vous, n'est-ce pas, Émile ?

De deux ans à peine. Ce n'était pas la différence d'âge qui comptait. Ce qu'elle voulait dire, c'est que Berthe était plus adulte.

Et Nancy, elle, était la personne la plus adulte qu'il eût rencontrée. Adulte et libre. Ne faisant que ce qu'elle voulait. N'acceptant aucune règle et se moquant des bienséances.

Entre elle et Berthe, c'était la guerre, depuis la première minute, et Berthe était devenue un peu pâle, le premier soir, quand on avait entendu dans la chambre de l'Anglaise un vacarme d'abord inexplicable. Tranquillement, sans permission et sans l'aide de personne, Nancy était occupée à changer les meubles de place, le lit, l'armoire, le bahut, et, le lendemain, en faisant le ménage, on avait retrouvé les lithographies qui ornaient les murs empilées sur la garde-robe.

A cette époque-là, Émile se figurait encore que c'était une affaire entre Nancy et lui. Il avait mis longtemps, par la suite, à comprendre qu'en réalité cela n'avait été qu'une affaire entre Nancy et sa femme, et cette découverte l'avait humilié.

Malgré les autres clients – car toutes les chambres étaient occupées et il y avait assez bien de passage –, on aurait pu croire qu'ils n'étaient que trois à jouer, passant de l'ombre au soleil et du soleil à l'ombre, d'une chambre à l'autre et de la maison à la terrasse, une pièce quasi muette, une sorte de ballet dont les spectateurs ne connaissaient pas l'argument.

Émile avait envie de Nancy, une envie par moments douloureuse, différente de celles qu'il avait connues. Quand elle était au bar en face de lui, ou quand elle venait le retrouver à la cuisine, il sentait son odeur, devinait la sueur qui, sous la robe, roulait en grosses gouttes sur la peau nue, laissant des traces sur le tissu.

Elle le narguait, semblait, du regard, mesurer son désir qui la faisait rire, d'un rire provocant, comme si elle disait :

— Oseras-tu ?

Le premier matin, vers onze heures, elle était sortie à pied et n'était rentrée qu'à l'heure du déjeuner. Il savait de quel côté elle s'était dirigée.

— J'ai pris, dans les pins, un délicieux bain de soleil. J'ai trouvé là-bas une grande pierre…

— La Pierre Plate.

C'est ainsi qu'on appelait le rocher sur lequel elle n'était pas la première à s'étendre, plus ou moins nue, pour se laisser brûler par le soleil.

— Je ne sais pas si on m'a vue. J'ai entendu des gens dans le bois, des voix d'enfants…

Elle désignait des yeux la famille qui mangeait dans un coin de la terrasse.

— Émile ! appelait Berthe.

Elle avait besoin de lui. Elle avait sans cesse besoin de lui depuis que Nancy était à La Bastide.

— Il paraît qu'il n'y a plus assez de bouillabaisse.

Il faisait étouffant. Nancy, qui n'aimait pas boire seule, l'invitait à boire avec elle. Et toujours il ressentait ce désir lancinant, aussi douloureux qu'une meurtrissure.

Il devait lui montrer qu'il n'était pas un gamin, qu'il n'avait pas peur de sa femme. Pendant trois jours, cette pensée l'avait obsédé. Quand Nancy montait dans sa chambre, pour une raison ou pour une autre, au cours de la journée, elle semblait s'attendre à ce qu'il la suive. Il n'osait pas, sûr qu'après quelques instants Berthe viendrait frapper à la porte sous un prétexte quelconque.

Il n'osait pas non plus lui donner rendez-vous dans le Cabanon, où il avait déjà pris l'habitude de s'étendre pour la sieste, car, de la maison, on l'aurait vue y entrer.

Elle le provoquait toujours, la lèvre humide, à croire parfois qu'elle s'attendait à ce qu'il la renverse dans la salle même, sur les carreaux rouges, près du bar.

Elle était retournée à la Pierre Plate. Le troisième jour, enfin, il avait saisi un panier dans la cuisine, s'était dirigé d'un pas presque naturel vers le potager de Maubi.

Cela lui arrivait d'aller y chercher lui-même des légumes ou des herbes. Le plus souvent, il en chargeait Maubi lorsque celui-ci, de bonne heure le matin, venait chercher ses instructions.

Il ne devait pas marcher trop vite, car il aurait juré que, de l'une ou de l'autre fenêtre, Berthe le suivait des yeux.

Heureusement, la partie basse du potager n'était pas visible de la maison. Elle touchait à la pinède. En sautant un mur bas qui se désagrégeait, on n'avait qu'une centaine de mètres à parcourir dans les broussailles pour atteindre le rocher.

Nancy, qui l'avait fatalement entendu approcher, n'avait pas fait un mouvement pour se couvrir. Ses vêtements, son sac en paille tressée gisaient à côté d'elle et elle portait des lunettes sombres qui empêchaient de voir ses yeux.

Il avait eu l'impression de commettre un viol, gauchement, maladroitement.

Jamais il ne s'était enfoncé d'une façon aussi animale dans la chair chaude d'une femelle et, à cause de ces prunelles dont le regard lui échappait, de cette bouche entrouverte dans un sourire qu'il ne parvenait pas à comprendre, il avait, à certain moment, levé le poing pour frapper.

Elle avait ri, d'un rire qui ne s'arrêtait pas, en prononçant avec l'attendrissement qu'on réserve d'habitude aux enfants :

— Émile !... Mon brave petit Émile !...

C'était elle, soudain, qui avait pris l'initiative, qui avait joué le rôle de l'homme, triomphalement, pour finir par murmurer en laissant son corps se détendre :

— Tu es content ?

On appelait, quelque part, dans le bois, pas la voix de Berthe, mais celle de Mme Lavaud, et Nancy avait à nouveau son sourire apitoyé.

— Va !... Ta femme va être fâchée...

Émile avait dû, pour la vraisemblance, mettre quelques légumes dans son panier. Il marchait tête basse. Le visage et le corps frais dans une robe claire sans un faux pli, Berthe faisait des écritures dans l'ombre, près du bar.

— Je crois que Mme Lavaud a besoin de toi.

Il ne se passait rien de ce qu'il attendait. On le laissait gagner la cuisine et reprendre le rythme de ses occupations. Puis, un peu avant le déjeuner, Nancy rentrait, son sac en paille à la main, se dirigeait vers le bar sans que rien se produise.

— A boire, Émile ! Je meurs de soif.

De quoi Émile avait-il peur ? Il s'en voulait de voir sa main trembler en saisissant la bouteille de pastis.

— Buvez un verre aussi. Sur mon compte.

Berthe ne levait même pas la tête. Nancy éprouvait le besoin de s'extasier en s'étirant :

— Ce bain de soleil était merveilleux, Émile ! Votre femme devrait essayer. Elle, qui vit dans le Midi, est aussi blanche qu'une femme de Londres.

Quelle place cet incident occupait-il dans l'ensemble ? Était-ce une cause parmi les causes ? Le lendemain, il était sur le point de sortir sur les pas de Nancy. Cela lui paraissait nécessaire. C'était presque un impératif. Il avait déjà saisi le panier, dans un coin d'ombre de la cuisine où Mme Lavaud vidait des volailles.

— Non ! avait-il entendu prononcer.

C'était sa femme, évidemment, debout dans l'encadrement de la porte. Il avait balbutié :

— Je vais chercher des...

— Si tu as besoin de quelque chose dans le potager, Mme Lavaud s'en chargera.

Rien d'autre. Il n'avait pas osé insister. Mais il n'avait pas oublié cette humiliation-là, ni celle du lendemain.

C'était jour de marché. Émile avait tout combiné. En se pressant, il atteindrait à temps le tournant du chemin en pente pour, y laissant un moment sa voiture, aller rejoindre Nancy sur la Pierre Plate.

Il en était si sûr que, des yeux, avant de partir, il lui avait donné rendez-vous. Elle avait compris. Ils se regardaient déjà comme des amants de longue date.

Guilleret, il avait plongé dans le brouhaha lumineux et odorant du marché Forville, gagné le port, puis la crémerie, la boucherie, pressant le pas, se privant de son café habituel chez Justin.

Le chemin en pente n'était pas assez large pour deux autos. La camionnette suffisait à le boucher. Si une voiture montait ou descendait, elle serait obligée de corner.

À pied, il s'élançait sous les arbres, entendait des voix d'enfants quelque part, arrivait, haletant, à la Pierre Plate, et n'y trouvait personne.

Il eut la naïveté d'attendre au moins dix minutes, se disant que Nancy s'était peut-être attardée, et il alla enfin reprendre sa voiture, pénétra un peu plus tard dans la salle où sa femme était à sa place, toujours à faire des comptes, ce qui était sa part du travail commun.

Elle ne leva pas la tête. Il ne lui posa pas de questions. Dans la cuisine, il lui sembla que Mme Lavaud avait un drôle d'air, mais, comme Berthe pouvait les entendre, il ne lui demanda rien.

Il finirait bien par savoir. Dans un moment, il

entendrait la voix de l'Anglaise réclamer son apéritif. Le temps passait. Les pensionnaires se mettaient à table. Berthe s'occupait d'un couple d'Italiens qui voulait une table à l'ombre.

Tandis qu'on servait les hors-d'œuvre, il grimpa quatre à quatre au premier étage, ouvrit la porte de Nancy et comprit. Ses valises n'étaient plus là. Les meubles avaient repris leur place et le ménage avait été fait, la pièce aérée de façon à chasser jusqu'à son odeur.

Vers cinq heures seulement, alors que Berthe était montée pour conduire de nouveaux pensionnaires à leur chambre, il avait regardé Mme Lavaud d'un air interrogateur et elle ne s'était pas méprise sur le sens de sa question.

— Votre femme l'a flanquée à la porte.

C'était tout. Il n'avait pas revu Nancy. Il ne restait qu'un souvenir assez confus. Trois jours, comme de fièvre, qu'il avait vécus sans trop savoir ce qui lui arrivait.

Pourtant, ces trois jours-là allaient avoir leur importance, un peu à la façon d'une égratignure qui s'envenime.

Il lui arrivait plus souvent qu'autrefois de penser :

« Elle m'a acheté. »

Pendant un mois, il n'avait pas eu de rapports sexuels avec sa femme qui, d'ailleurs, n'avait pas insisté. Parfois, en la voyant la tête penchée sur ses factures, il se demandait si elle l'aimait, si elle éprouvait à son égard autre chose qu'un sentiment de propriétaire. Cela continuait à le gêner. Il aurait voulu trouver une réponse à la question. Il aurait surtout voulu pouvoir se dire qu'elle ne l'aimait pas.

Tout serait devenu plus facile. Il se serait senti libre. Six mois passèrent encore, d'une vie sans histoire, de routine quotidienne, avant que Pascali, un matin, s'encadre dans la porte de la cuisine flanqué de sa fille.

— Votre femme est là, monsieur Émile ?

— Elle ne tardera pas à descendre.

Berthe dormait tard, le matin, se faisait monter son petit déjeuner dans sa chambre et traînait à sa toilette, réalisant sans doute un rêve de petite fille.

Émile, qui avait reconnu la gamine en noir entrevue plusieurs fois dans la pinède, ne s'était pas posé de questions. Plus exactement, il s'était dit que Berthe avait appelé le maçon pour des réparations, car c'était elle qui s'occupait de ces choses.

Il revoyait Pascali assis dans un coin, sa casquette à la main, ses cheveux blancs qui, dans la pénombre, lui faisaient une auréole. La fille restait debout.

— Servez-lui un verre de vin, madame Lavaud.

On était à l'automne. Les vendanges étaient finies et Émile était occupé à préparer un pâté de merles. C'était une de ses spécialités.

Il avait compris, dès le début, qu'il devait surtout servir des plats du pays et il les avait étudiés avec soin. Si sa bouillabaisse était quelconque, faute d'avoir toujours les poissons voulus sous la main, et aussi à cause du prix de revient, son riz aux encornets, par exemple, était connu des gastronomes de Cannes et de Nice qui souvent, le dimanche, venaient exprès pour en manger.

Son pâté de merles n'était pas moins renommé, ni son lapereau farci dont il refusait de donner la recette.

Nancy, qui était gourmande, ne lui avait-elle pas dit, et cela sérieusement, sans ironie, il en était persuadé :

— Si vous vous installiez à Londres, dans Soho, vous feriez rapidement fortune.

Il n'avait pas envie de vivre à Londres, mais de rester ici. Il avait pris racine. Il se sentait chez lui. Si seulement il n'y avait pas eu Berthe…

Elle avait fini par descendre. Il l'avait appelée, d'une pièce à l'autre.

— Il y a ici Pascali qui veut te parler…

Elle avait fait entrer le maçon dans la salle et la fille avait suivi, d'une démarche qu'Émile remarquait pour la première fois, celle qu'on attribue aux Indiens dans les romans du Far West et qu'on voit aussi aux romanichels qui marchent encore pieds nus. Pourtant, elle portait des espadrilles et il se rendit compte qu'elle avait les jambes sales.

Il entendit, sans y prêter attention, un murmure de conversation. Puis il vit Pascali passer dans le soleil de la terrasse.

L'instant d'après, on marchait à l'étage au-dessus, mais il se passa une demi-heure avant qu'il trouve sa femme seule dans la salle à manger.

— Je n'ai pas vu partir la fille de Pascali.

— Elle est là-haut, à arranger la mansarde qui servait de grenier. Je l'ai engagée comme bonne à tout faire et ce sera sa chambre.

Il n'y était pour rien. Au début, il n'y attacha aucune importance. Il était plutôt satisfait de voir quelqu'un de plus dans la maison, car Mme Lavaud n'arrivait pas à tout faire et la clientèle continuait à s'accroître.

— Ton mari a consulté un médecin ?

Le temps passait et ce qui marquait le plus la fuite des années, c'était encore, à la saison creuse, la présence de Mme Harnaud, pendant un mois environ, dans la maison.

Elle ne se réconciliait pas avec l'idée que sa fille n'avait pas d'enfants.

— Vous devriez aller en voir un tous les deux.

Le temps qu'elle était à La Bastide, elle ne cessait de les épier, sans en avoir l'air, car, en apparence, elle était aussi discrète, aussi effacée que possible.

— Ne vous occupez pas de moi. Faites ce que vous avez à faire. J'ai l'habitude d'être seule et je ne m'ennuie jamais.

Elle tricotait des heures durant, assise tantôt dans un coin, tantôt dans un autre, attentive à tous les bruits, aux voix, aux moindres chuchotements.

— C'est une fille du pays ? Il me semble que je l'ai déjà vue quelque part.

Ada, maintenant, portait un tablier blanc sur les informes robes noires qu'elle semblait avoir adoptées une fois pour toutes. Ses cheveux, pendant un temps, avaient été un objet de disputes presque quotidiennes.

— Allez vous coiffer, Ada.

Ada ne répondait jamais, ce qui exaspérait Berthe. On ne pouvait même pas savoir si elle avait entendu.

— Dites : Oui, madame.

— Oui, madame.

— Alors, allez vous coiffer.

Elle portait les cheveux sur la nuque et le peigne ne semblait pas les avoir jamais disciplinés. Ils étaient noirs, épais comme ceux des Chinoises.

— Vous avez lavé vos cheveux comme je vous l'ai demandé ? Ne mentez pas. Si vous ne les avez pas lavés demain, je vous trempe la tête dans un baquet d'eau et je vous les savonne moi-même.

Mme Harnaud disait d'Ada :

— Tu ne crois pas qu'elle est un peu folle ?

— C'est possible. Je ne sais pas. Son père aussi est bizarre et sa mère passe pour une demeurée.

— Tu n'as pas peur ?

— De quoi ?

— Moi, ces gens-là m'impressionnent. J'ai connu quelqu'un comme ça, un jeune homme qui a travaillé pour ton père et qui, un beau matin, au milieu de la cuisine, a piqué une crise d'épilepsie. La bave lui coulait de la bouche…

— J'ai demandé au docteur…

— Lequel ?

— Chouard.

— C'est un ivrogne. J'espère que ce n'est pas lui que vous appelez quand vous êtes malade ?

— Non. Nous voyons Guérini. Le docteur Chouard s'arrête de temps en temps pour boire une chopine.

— Dis une bouteille ou deux, va ! Je me souviens de lui. Qu'est-ce qu'il pense d'elle ?

— Il prétend qu'elle n'est pas malade. Seulement en retard.

— En retard de quoi ?

— Certaines gens, paraît-il, ne dépassent jamais, intellectuellement, un âge déterminé.

— À quel âge s'est-elle arrêtée ?

Berthe haussa les épaules. Ada avait l'avantage de ne pas coûter cher. On ne lui donnait pas d'argent directement. On versait ses gages à son père et celui-ci avait demandé qu'on ne lui laisse aucune liberté. C'était pratique. Elle était toujours disponible, jour et nuit, hiver comme été, et, de loin en loin seulement, elle allait passer un moment dans la maison que Pascali avait construite en bordure de Mouans-Sartoux.

C'était Pascali qui, toutes les deux semaines environ, surgissait sur la terrasse et pénétrait dans la cuisine en retirant sa casquette. Il s'asseyait, toujours dans le même coin, acceptait le verre de vin traditionnel, un seul, jamais deux, et restait là une demi-heure ou trois quarts d'heure sans qu'on ait besoin de s'occuper de lui.

Il ne posait pas de questions, n'embrassait pas sa fille, ne lui parlait pas, sinon, chaque fois, pour lui dire :

— Adieu.

Quant à elle, il y avait des clients pour croire, les premiers jours, qu'elle était muette. Si elle n'était pas soigneuse et si elle oubliait souvent les instructions, elle n'en essayait pas moins de faire son service et même, quand elle était inoccupée, elle cherchait à se rendre utile.

On s'était habitué à sa présence, plutôt comme à celle d'un animal familier qu'à la présence d'une personne. Elle faisait peu de bruit. Les jours d'affluence, elle ne se mettait pas à table pour manger, se contentant de morceaux qu'elle piquait dans les plats et les assiettes qui retournaient à la cuisine.

Berthe n'avait jamais insisté pour qu'Émile aille voir Guérini ou un autre médecin au sujet de ce que sa mère avait insinué. Elle était allée chez Guérini, elle, un jour qu'elle avait une angine. Lui avait-elle parlé de l'autre question ?

C'était possible. Émile ne s'en inquiétait pas. Depuis qu'il vivait à La Bastide, il n'avait jamais eu besoin du médecin et, quand il avait eu la grippe, le quatrième ou le cinquième hiver, il s'était guéri seul à l'aide de grogs et d'aspirine.

Guérini et sa femme venaient de temps à autre

manger à La Bastide, les soirs où leur bonne était en congé. C'était un couple jeune, sympathique. Les gens de Mouans-Sartoux avaient peur de perdre leur médecin, car on disait qu'il était beaucoup trop intelligent pour passer sa vie dans un village et qu'il finirait par s'installer à Cannes ou à Nice, peut-être par aller à Marseille.

Ordonné, consciencieux, il avait réglé sagement sa vie. Alors que, pendant la semaine, on pouvait l'appeler à toute heure du jour et de la nuit, qu'on soit riche ou pauvre, chaque dimanche, à moins de tempête, il se réservait une journée de solitude en mer à bord de son bateau.

Sa femme, qui comprenait ce besoin de détente, ne l'accompagnait pas et restait à la maison avec leurs deux enfants. Le plus jeune n'avait que quelques mois.

Est-ce qu'un homme comme celui-là était parfois rongé par ses propres pensées ?

En vérité, pendant toute cette période, Émile ne s'était pas senti malheureux. Il avait fini par s'accommoder avec la réalité. Il ne cherchait plus à savoir qui était le maître dans la maison, ni si sa femme le traitait comme on doit traiter un homme.

Les apparences lui suffisaient et, lui aussi, il avait son bateau, à bord duquel il s'échappait dès qu'il le pouvait. Il avait en outre, pendant la morte-saison, les parties de boules, et parfois, les soirs d'hiver, des gens de Mouans-Sartoux montaient jouer aux cartes avec lui.

Il ne se demandait pas si les autres étaient différents, ni s'il n'aurait pas préféré un autre sort. La vie de La Bastide s'était petit à petit réglée heure par heure, presque minute par minute. Il descendait toujours au même moment, après avoir entendu Ada descendre la première et préparer le café, et il trouvait, dans la cuisine, Mme Lavaud qui venait d'arriver et nouait son tablier.

Chaque pièce de la maison était nettoyée à son tour et cela marquait le rythme des journées. Il y avait en outre les rites de l'été et les rites de l'hiver, qui étaient assez différents.

L'été, seulement en juillet et août, quand on servait jusqu'à cinquante couverts par repas, la femme de Maubi donnait un coup de main pendant la matinée et on embauchait un garçon pour aider Ada à servir à table, presque toujours un jeune, un débutant, afin de le payer moins cher.

Parfois on était obligé d'en changer à deux ou trois reprises pendant le cours de la saison, car il y en avait qui volaient, ou qui buvaient, d'autres qui se montraient grossiers avec les clients et même avec Berthe.

Ainsi, derrière une existence en apparence paisible, y avait-il toujours des petits drames, ne fût-ce que des disputes avec les fournisseurs ou avec des artisans du pays.

La vérité, c'est que Berthe prenait tout cela à sa charge sans jamais s'en plaindre. En dehors du marché et de la cuisine, Émile ne se préoccupait de rien et c'est à peine si sa femme le consultait quand il y avait des réparations ou des aménagements à envisager.

C'était elle encore qui établissait les notes des clients, encaissait, portait l'argent à la banque une fois la semaine.

Avait-il vraiment voulu qu'il en soit ainsi ? N'avait-il laissé cette situation s'établir que par paresse ? Berthe, à cette époque, était-elle déjà devenue l'ennemie ?

Il aurait été en peine de le dire. La chair de sa femme, en tout cas, après des années de mariage, lui était plus étrangère que, par exemple, celle de Nancy, qu'il n'avait possédée qu'une fois.

Il connaissait deux ou trois filles, à Cannes, qu'il allait retrouver de temps en temps, parfois à l'heure du marché. Il savait alors les trouver au lit, car elles fréquentaient le casino et les boîtes de nuit, et, pressé par le temps, il leur faisait l'amour en vitesse, un peu comme pour se venger, ou comme pour se prouver qu'il était un homme.

Il ne buvait pas, ainsi que son beau-père l'avait fait toute sa vie, ni même ainsi que son père et son frère le faisaient encore, se contentant de quelques verres de vin rosé pendant la journée, surtout le matin, vers onze heures, avant le coup de feu du déjeuner.

Il ne mangeait pas avec sa femme. On la servait, elle, seule à une table, soit sur la terrasse, soit, si le temps ne le permettait pas, dans la salle à manger, comme les clients, en même temps qu'eux.

Les domestiques prenaient leurs repas avant

tout le monde, dans la cuisine. Quant à lui, c'était seulement quand on commençait à servir les fromages et le dessert qu'il se laissait tomber sur une chaise, à un bout de table, et qu'il avalait son repas en face de Mme Lavaud déjà occupée à la vaisselle.

C'était là la routine de l'été. Le reste de l'année, il y avait des différences et parfois, l'hiver, surtout par fort mistral, ou encore quand le vent d'est amenait les grandes pluies, on restait plus d'une semaine sans qu'un seul client, un seul étranger à la maison, sinon le facteur, franchisse la porte de La Bastide.

En ce qui concernait son plan, c'était sans importance, car ce plan était basé tout entier sur la vie d'été, plus précisément sur la vie de l'époque de transition, celle qui, déjà animée, précède la ruée des congés payés.

C'était à la même saison, deux ans plus tôt, que les choses avaient commencé avec Ada. Le déjeuner terminé, Berthe montait se coucher une heure ou deux, comme la plupart des pensionnaires. On entendait alors les volets se fermer tout autour de la maison, et il en était de même de tous les volets de Mouans-Sartoux et de la région entière.

Si Émile et sa femme, la nuit, dormaient dans le même lit, le fameux lit des beaux-parents, que Berthe devait considérer comme un symbole, Émile avait adopté, pour la sieste, soit le Cabanon, quand celui-ci n'était pas occupé, soit un coin d'ombre sous un figuier.

Cela n'était pas fait sans raison. D'abord, il

n'aimait pas se déshabiller et se rhabiller au milieu de la journée, et sa femme tenait, elle, à se glisser dans les draps. Ensuite, leur sieste ne durait pas le même temps. Enfin, il transpirait abondamment, ce qui déplaisait à Berthe.

De toute façon, sans que la question fût jamais discutée, il avait gagné cette période de liberté.

Il s'assoupissait vite, restait à demi conscient de ce qui se passait autour de lui, de l'heure, de la course du soleil, et certains bruits continuaient à lui parvenir. Des bouts de pensées lui passaient par la tête, qui ne s'enchaînaient plus et qui devenaient de plus en plus floues, avec des déformations parfois savoureuses.

Avec le temps qu'il passait en mer, c'était, en définitive, le meilleur moment de ses journées.

Quelquefois, un désir le pénétrait, surtout s'il lui arrivait d'évoquer Nancy et la Pierre Plate, et il s'était surpris à tendre la main dans le vide comme s'il allait trouver un corps de femme près de lui.

C'était dommage, voilà tout. Cela aurait été agréable. Il lui venait des images précises et il finissait par se consoler en se promettant d'aller le lendemain voir une des filles de Cannes.

Il n'avait jamais pensé à Ada. C'est à peine s'il se rendait compte qu'elle était une femme. Jusqu'au jour où, un après-midi, Berthe était allée en ville avec la camionnette pour faire des achats, des draps de lit et des taies d'oreiller, il s'en souvenait avec précision.

Sa sieste terminée, il était rentré dans la maison et avait trouvé Mme Lavaud assoupie sur sa chaise, le menton sur la poitrine. Intrigué de ne pas voir Ada, il s'était engagé dans l'escalier, appelant à mi-voix. Sans réponse, il avait continué de monter et poussé la porte de la mansarde.

Les volets étaient fermés. Dans le clair-obscur, Ada dormait, nue sur son lit, dont elle n'avait pas défait la couverture.

Il avait hésité, non pas à cause de Berthe, mais à cause de Pascali, qui lui faisait un peu peur.

Il ne voulait pas que sa fille prétende ensuite qu'il l'avait prise de force, ou grâce à son sommeil, et, s'approchant du lit, il avait prononcé plusieurs fois :

— Ada… Ada…

Il était sûr qu'elle l'avait entendu, mais elle ne bougeait pas, gardait les yeux clos, les jambes un peu écartées.

Alors, il l'avait touchée, du bout des doigts d'abord, et il avait vu un frémissement la parcourir.

— Ada…

Les lèvres entrouvertes, elle avait soupiré sans rien dire, mais il aurait juré qu'elle avait de la peine à réprimer un sourire.

Tant pis ! Il l'avait prise, refusant de réfléchir davantage, et il avait été surpris par l'expression radieuse qui s'était répandue sur le visage de la sauvageonne.

Jamais il n'avait vu pareille extase chez un être

humain et soudain, le serrant avec frénésie entre ses bras maigres, lui comprimant la poitrine contre sa poitrine avec une force insoupçonnée, elle avait balbutié quelque chose qui devait signifier :

— Enfin...

Alors que, dérouté, il aurait voulu refréner sa jouissance, elle s'était mise à sangloter de bonheur, d'une joie intérieure, profonde, jaillissante, d'une joie douloureuse en même temps, à la fois pure et trouble, dont il ne soupçonnait pas l'existence.

À peine avait-il entrevu ses prunelles. C'étaient les larmes, de grosses larmes enfantines, qui avaient écarté les paupières, et elle les avait refermées tout de suite, elle avait repris son immobilité, puis, tandis que, troublé et gauche, il se redressait, elle avait tiré sur elle un pan de couverture.

Elle feignait à nouveau de dormir. Sa petite poitrine se soulevait à un rythme régulier, sa main restait crispée sur la laine râpeuse de la couverture. On aurait pu croire qu'il ne s'était rien passé et il était sorti sur la pointe des pieds, avait refermé la porte sans bruit avant d'aller se camper sur le seuil tandis que Mme Lavaud commençait à bouger dans la cuisine.

5

Si ce n'était pas encore le vrai commencement, cet événement-là, fortuit, auquel, en toute bonne foi, il ne s'était pas attendu et qui, en comparaison du reste, avait duré si peu, n'en allait pas moins constituer un tournant.

Debout sur le seuil, une étrange panique l'envahissait, surtout physique, produisant un tressaillement désagréable de tous ses nerfs. Cela lui rappelait confusément la Bible, il ne cherchait pas à savoir au juste quoi, Adam et Ève s'apercevant qu'ils étaient nus, ou peut-être Dieu le Père demandant à Caïn ce qu'il avait fait de son frère, ou encore la femme de Loth ?

Ce qui venait de se passer n'était pas plus grave que ce qui se passait chaque semaine entre lui et d'autres filles à Cannes ou à Grasse. Son geste n'était pas prémédité. N'importe quel homme, à sa place, aurait probablement agi comme lui et il était persuadé qu'Ada attendait son geste depuis longtemps.

De quoi avait-il peur ? Car il avait peur, une peur imprécise comme celle qui saisit les animaux au cours des orages et des grands cataclysmes. Il éprouvait le besoin d'entrer dans la cuisine, de se servir un verre de vin, pour se rapprocher de quelqu'un, de Mme Lavaud, qu'il n'osait pas regarder tout de suite et à qui il demandait :

— Ma femme n'est pas rentrée ?

Il le savait. Il aurait entendu la voiture.

— Non, monsieur Émile.

Elle lui parlait normalement. Elle n'avait pas l'air de savoir. Et si même elle avait su ? Elle était pour lui. Elle regardait d'un air dur, quand celle-ci avait le dos tourné, Berthe qui ne ratait pas une occasion de l'humilier comme elle humiliait tous ceux qui l'approchaient.

On aurait dit qu'il cherchait, à sa panique, des raisons rassurantes, plausibles, et cela dura plusieurs jours, pendant lesquels il ne se sentit pas lui-même.

C'était comme s'il eût porté en lui le germe de quelque chose d'encore inconnu. Des gens qui couvent une maladie ressentent le même genre de malaise et se plaignent d'être mal dans leur peau.

Sa courte aventure avec Nancy n'avait pas eu de suites de ce genre. En quittant la Pierre Plate, il avait envie de chanter, content de lui et d'elle. Il pensait avoir remporté une victoire, même si elle devait être sans lendemain. Il avait montré à sa partenaire qu'il n'était pas un gamin, mais un homme, et qu'il n'avait pas peur d'une femme. Sa chair était satisfaite. C'était un beau souvenir, chaud et voluptueux.

Et quand, ensuite, il n'avait pas retrouvé l'Anglaise au rendez-vous, quand il avait appris que Berthe l'avait mise à la porte, il avait serré les poings de rage, sachant qu'il ne le pardonnerait jamais à sa femme.

Néanmoins, il n'avait pas été troublé dans son être intime.

Cette fois, Berthe rentrait de la ville sans lui lancer un regard interrogateur, à plus forte raison soupçonneux. Ada avait repris son travail, tellement pareille à l'Ada des autres jours qu'il aurait pu se demander s'il s'était réellement passé quelque chose.

Cela avait été, un instant, une de ses craintes. Il ne la connaissait pour ainsi dire pas. Il savait, il avait entendu répéter qu'elle n'était pas comme une autre.

N'aurait-elle pas pu, tout à coup, se comporter différemment, se mettre à le regarder avec amour, ou avec reproche, ou encore courir chez son père pour lui raconter en pleurant ce qui s'était passé ?

Or, à mesure que les heures, que les jours fuyaient, il acquérait la conviction que ce qu'il avait fait était nécessaire et que ce qu'il ferait désormais en découlerait, en même temps que d'une sorte de fatalité.

Il y avait eu quelques journées étranges, tourmentées, qu'il n'aurait pas voulu ne pas vivre, qui étaient sans doute les plus importantes de son existence mais qui lui laissaient un souvenir chaotique et presque honteux.

Cela aussi lui rappelait vaguement son histoire sainte, saint Pierre qui avait trahi trois fois et le coq qui chantait.

Dans son lit, le premier soir, par exemple, près de Berthe endormie, dont il sentait la chaleur, il s'en était voulu d'avoir compromis, par un geste irréfléchi, un équilibre qui lui paraissait soudain satisfaisant, une routine à laquelle il s'était si bien habitué qu'il s'effrayait à l'idée qu'elle pourrait se rompre.

C'était à peu près sûr qu'il recommencerait, soit de son propre chef, soit parce qu'Ada l'exigerait.

Berthe le découvrirait tôt ou tard, elle qui savait tout ce qui se passait, non seulement dans la maison, mais au village.

Il craignait encore plus Pascali, qui n'était pas un homme comme les autres et dont les réactions étaient imprévisibles.

Il l'imaginait arrivant à La Bastide, non plus pour s'asseoir dans la cuisine et boire en silence son verre de vin, mais pour réclamer des comptes.

Enfin, il n'avait pris aucune précaution et Ada était trop ignorante pour en avoir pris de son côté.

Si elle allait avoir un enfant ?

C'était lui qui se mettait à l'épier, dérouté de la voir impassible comme à l'ordinaire, avec, tout au plus sur le visage, le reflet d'une joie intérieure.

Peut-être, après tout, se trompait-il et tout cela n'était-il que le fruit de son imagination ? C'était la faute de Berthe, de sa présence oppressante, de la façon insidieuse dont elle l'avait enfermé dans un cercle invisible mais réel.

Il avait envie de se révolter et n'osait pas. Il était si désemparé qu'à certains moments c'était Ada qu'il accusait d'avoir troublé ce qu'il appelait maintenant sa quiétude.

« Je ne recommencerai pas ! »

Cinq jours plus tard, il n'y tenait plus. Son humeur avait changé. Seul dans le Cabanon, à l'heure de la sieste, il pensait à Ada d'une façon lancinante, douloureuse.

— Tout à l'heure, quand ma femme sera couchée, viens me retrouver.

Cela l'humiliait de se cacher, de chuchoter entre deux portes, d'attendre, comme un jeune homme amoureux pour la première fois, un battement de paupières de la sauvageonne.

— Tu as compris ? Fais semblant d'aller chercher du bois.

On cuisinait au bois et le bûcher, par chance, se trouvait derrière le Cabanon.

En l'attendant, il lui arrivait de souhaiter qu'elle ne vienne pas. Mais elle vint. Et il se jeta sur elle comme un affamé sur du pain.

— Il faudra que tu viennes chaque fois que je te le demanderai. Tu viendras ?

Étonnée de la question, elle disait oui. Cela lui paraissait, à elle, si évident !

Elle ne comprenait pas sa nervosité, sa fièvre.

Il la prenait de telle sorte qu'on aurait pu croire qu'il la haïssait et s'efforçait de la détruire.

Il lui fallut des jours, des semaines pour arriver à un certain équilibre, qui ne ressemblait en rien à celui d'autrefois. Émile s'habituait. Sa peur se dissipait. Il ne pensait plus à Pascali, ni à une grossesse possible.

La vie continuait, avec ses saisons qui en marquaient les étapes et le rythme, le temps des mimosas, puis des oranges et du jasmin, le temps des cerises, celui des pêches et enfin, avant le calme de l'hiver, la récolte des olives et les vendanges.

Ils possédaient quelques vignes, dont Maubi prenait soin. Comme l'ancien pressoir avait été démoli pour faire place à la salle à manger, on vendait le raisin à un voisin, qui le payait en vin de l'année précédente.

En mer aussi, les saisons alternaient, et il pêchait successivement la girelle, le maquereau, les bogues et les daurades.

À son étonnement, on avait fait ainsi presque le tour de deux années et il n'avait plus besoin de parler à Ada, un battement de paupières suffisait, auquel elle ne répondait que par une lueur dans les yeux.

Personne, en dehors de lui, ne s'apercevait qu'elle était devenue femme, qu'elle avait perdu sa raideur et ses angles, que sa démarche était plus souple, empreinte d'une curieuse dignité.

Si elle restait aussi secrète, aussi farouche d'allure, il se dégageait d'elle une sérénité qu'il ne pouvait comparer qu'à celle d'un animal heureux. N'était-ce pas un peu à la façon d'un animal qu'elle l'aimait ? Rien d'autre ne comptait pour elle que de vivre dans son sillage et, dès qu'il lui adressait un signe, elle accourait se blottir contre lui.

Elle était à la fois son chien et son esclave. Elle ne le jugeait pas, n'essayait pas de le comprendre ou de le deviner. Elle l'avait adopté pour maître, comme un chien errant, sans raison apparente, s'attache aux talons d'un passant.

Un miracle se produisait. Berthe-qui-savait-tout ne songeait pas à les épier, justement à cause de son orgueil, qui la rendait si férocement jalouse de toutes les autres.

L'idée ne l'effleurait pas qu'Émile puisse seulement regarder comme une femme cet être qu'elle jugeait incomplet, ce souillon, cette fille maigre et sauvage, que tout le monde considérait comme demeurée.

Ainsi, entre Émile et sa femme, une paix apparente s'était établie. Il avait moins souvent des mouvements de révolte. Un peu de la sérénité d'Ada déteignait sur lui et il devait parfois s'arrêter de chanter, de se montrer trop enjoué, par crainte qu'on s'interrogeât sur les raisons de sa joie.

Une fois de loin en loin, par devoir et par prudence, il faisait l'amour avec Berthe, mais, malgré lui, il détournait le visage quand elle cherchait à l'embrasser sur la bouche.

Il se refusait de penser à ce qu'il adviendrait. Et il y eut, en janvier, une semaine tellement inespérée qu'il n'y crut vraiment qu'une fois Berthe dans le train.

Mme Harnaud, qui était venue comme d'habitude passer un mois sur la Côte au début de l'hiver, souffrait de pneumonie, là-bas, à Luçon. Berthe ne pouvait pas éviter d'y aller. En faisant sa valise, elle était pâle, moins parce que la santé de sa mère la préoccupait que parce que son mari allait rester seul.

À cette occasion, elle avait prononcé une phrase révélatrice, non sans avoir hésité longtemps. Ils étaient tous les deux dans la chambre, où elle achevait d'empiler du linge dans sa valise. Il avait remarqué que sa lèvre commençait à trembler comme quand elle se préparait à dire une chose désagréable.

— Je sais que tu vas profiter de mon absence, mais je te demande de me jurer...

— Jurer quoi ? avait-il feint de plaisanter.

Elle ne plaisantait pas, elle. Son regard était grave et dur.

— Tu vas me jurer qu'aucune autre femme n'entrera dans ce lit-ci.

Pourquoi n'avait-il pas pu s'empêcher de rougir ?

— Jure-le !

— Je le jure.

— Sur la tête de tes parents ?

— Sur la tête de mes parents.

En descendant vers Cannes, elle paraissait presque malade et, à la gare, elle avait plusieurs fois détourné la tête alors qu'ils attendaient le train. Elle n'avait pas agité la main. Il avait regardé jusqu'au bout son profil estompé par la vitre du compartiment.

Sur le chemin du retour, il n'avait pas encore pris de décision. Il n'y avait pas de pensionnaire dans la maison. Personne n'y couchait, sinon Ada et lui.

Lorsqu'il était rentré, passé neuf heures du soir, Ada était déjà dans sa chambre.

Il avait gravi les marches trois par trois, plus surexcité qu'essoufflé.

— Viens…

Elle avait compris et marqué un certain effroi.

— Viens vite !

Pour la première fois, ils allaient enfin se trouver ensemble dans un vrai lit, sans avoir peur, sans tressaillir au moindre bruit, et s'endormir l'un contre l'autre.

Cela ne valait-il pas un parjure ?

Mme Harnaud s'était rétablie. Berthe était revenue, avait repris sa place à la tête de la maison et la vie avait continué à son rythme habituel.

Des clientes suisses étaient arrivées, trois ensemble, car, pour la clientèle aussi, des saisons différentes se succèdent. L'hiver, par exemple, et au début du printemps, on ne voyait que deux ou trois personnes à la fois, presque toujours des femmes d'un certain âge, veuves ou vieilles filles, qui venaient de Suisse, de Belgique ou des départements du Nord.

Puis, à Pâques, commençaient à apparaître des familles qui ne faisaient qu'un court séjour, et on connaissait à nouveau un calme relatif jusqu'en mai.

Passaient alors, le dimanche, des Italiens en voiture, surtout des couples, qui se mêlaient, sur la terrasse, à la clientèle du pays, jusqu'au grand déferlement des vacances.

Parfois, plusieurs jours s'écoulaient sans qu'Ada puisse aller rejoindre Émile au Cabanon. D'autres semaines, elle l'y retrouvait deux ou trois jours d'affilée, et il ne s'était pas guéri d'une angoisse titillante qui se logeait dans sa poitrine dès qu'il lui avait donné rendez-vous, qu'il l'attendait, qu'il guettait son pas furtif, puis qu'il était avec elle.

Il passait par d'autres craintes, chaque mois, car il continuait à ne prendre aucune précaution, par défi, peut-être aussi par respect pour elle et pour lui.

Ils n'avaient pas connu de véritable alerte et, si cela le soulageait chaque fois, ce n'était pas sans le tracasser, sans lui faire penser à ce qu'avait dit sa belle-mère de l'impuissance de certains hommes. Il rejetait ces idées avec impatience, refusant d'admettre que Mme Harnaud pouvait avoir raison, se demandant si sa femme avait parfois le même soupçon.

N'était-ce pas curieux qu'elle ne parle jamais

d'une maternité éventuelle, comme si, de toute évidence, ils ne devaient pas avoir d'enfants ?

La grande scène eut lieu en juin. Il avait bu, le matin, deux ou trois verres de vin de plus que d'habitude, parce que le docteur Chouard était passé et qu'il lui avait tenu compagnie, au bar, pendant un bon moment.

C'était dans ces cas-là qu'il avait le plus envie d'Ada et il lui avait fait signe. L'air brûlant vibrait au chant des cigales et la mer, au loin, était immobile, avec les reflets glauques d'une plaque de fonte.

Ada était venue et s'était glissée contre lui sur le divan. Depuis longtemps, il avait décidé que, si quelqu'un surgissait, elle se précipiterait au premier étage et s'y tiendrait immobile, qu'au pis aller, elle sauterait par la fenêtre, qui n'était pas très haute.

Elle n'en eut pas la possibilité. La porte était fermée à clef, les volets fermés, mais les fenêtres restaient ouvertes, créant un courant d'air sans lequel ils auraient étouffé. Émile avait toujours été persuadé que les volets ne pouvaient s'ouvrir de l'extérieur et il sursauta quand il vit soudain le soleil pénétrer aussi violemment dans la pièce que l'eau franchit une digue crevée.

Berthe se découpait, immobile, dans le rectangle lumineux, et le flot de lumière succédant sans transition à la pénombre empêchait Émile de distinguer ses traits, de saisir l'expression de son visage.

Ada était déjà debout, la robe encore relevée, et regardait l'escalier, hésitante.

Il s'entendit prononcer :

— Reste ici.

Berthe ne bougeait toujours pas. Elle attendait. Lui se levait avec lenteur, passait ses doigts dans ses cheveux et marchait enfin vers la porte.

Sans un mot, ils se dirigèrent tous les deux, non vers la maison, mais vers la pinède, qui n'était pas loin et où s'amorçait un sentier, celui-là qui, comme le chemin du potager, aboutissait à la Pierre Plate.

Tant qu'ils furent dans le soleil, qui les étourdissait, ils gardèrent le silence, et ce fut Émile qui, le premier, une fois à l'ombre des pins, fut incapable de se taire plus longtemps.

— Maintenant, tu sais, articula-t-il sans la regarder.

Elle ne pleurait pas, ne paraissait pas sur le point de faire un éclat. On ne sentait l'approche d'aucune violence.

— Au fond, poursuivit-il d'un ton presque léger, cela vaut mieux ainsi.

— Pour qui ?

— Pour tout le monde.

Il se sentait maladroit, mais il ne trouvait aucune autre contenance à prendre. C'était vrai qu'il était soulagé. Les choses ne pouvaient pas durer éternellement comme elles étaient.

— Je n'aurais quand même pas cru ça de toi.

Elle semblait perplexe, déroutée. Peut-être, jusqu'à la toute dernière minute, n'avait-elle pas soupçonné la vérité et était-ce par hasard qu'elle venait de la découvrir ?

— Cette fille ne restera pas une heure de plus dans la maison.

Il fut presque heureux, tout à coup. Il avait craint des larmes, du désespoir, des reproches. Cent fois, il avait été tenté de croire que Berthe l'aimait à sa façon, et l'idée de la faire souffrir le mettait mal à l'aise.

Or c'était à Ada qu'elle pensait, la voix pleine de froide rancœur, comme de venin.

— Si ! laissa-t-il tomber sans réfléchir, ni se demander à quoi sa décision l'entraînait.

— Que veux-tu dire ?

— Simplement que, si elle s'en va, je pars avec elle.

La stupeur de Berthe fut telle qu'elle s'immobilisa, clouée au sol, le fixant avec des yeux qui ne comprenaient plus.

— Tu me quitterais pour cette demi-folle ?

— Sans hésiter.

— Tu l'aimes ?

— Je n'en sais rien, mais je ne permettrai pas qu'on la mette à la porte.

— Écoute, Émile. Il est préférable que tu réfléchisses. Pour le moment, tu n'es pas dans ton bon sens.

— Ma décision est prise. Je n'en changerai pas.

— Et si c'était moi qui partais ?

— Je te laisserais partir.

— Tu me hais ?

— Non. Je ne crois pas.

— Émile !

Elle trouvait enfin des larmes, trop tard, et elles ne pouvaient plus émouvoir Émile.

— Tu te rends compte de ce que tu fais ? Tu es en train de tout détruire, de tout salir…

— Salir quoi ?

— Nous ! Toi et moi ! Et cela, parce qu'une gamine vicieuse s'est mis en tête de prendre ma place.

— Elle ne prend la place de personne.

Les mots n'exprimaient pas sa pensée exacte mais, sur le moment, il n'en trouvait pas d'autres. Dans un combat non plus, on ne frappe pas toujours où on voudrait frapper.

— Et si je disais tout à Pascali ?

Il la regarda durement, les dents serrées, car elle venait de trouver une menace qui portait.

— Je partirais quand même.

— Sans elle ?

— Sans elle ou avec elle.

— Tu abandonnerais La Bastide ?

Vicieusement, elle trouvait les arguments capables de le toucher.

Elle ricanait :

— Tu t'embaucherais à nouveau comme cuisinier dans les hôtels ?

— Pourquoi pas ?

Quelque chose tournait à vide. Il n'y avait plus de points de contact.

— Réfléchis bien, Émile.

— Non.

— Et si je me tuais ?

— Je serais veuf.

— Tu l'épouserais ?

Il préféra ne pas répondre. Déjà il se repentait de sa cruauté involontaire. C'était Berthe qui avait commencé. Il n'avait senti chez elle aucun frémissement pouvant être attribué à l'amour.

Rien qu'une déception, une colère de propriétaire.

Maintenant, ils marchaient en silence, et quand ils traversaient une tache de soleil des sauterelles crépitaient à leurs pieds.

— Tu es sûr que tu ne veux pas attendre à demain ?

— J'en suis sûr.

Il était buté. Déjà quand il était petit, sa mère prétendait que, parfois, on avait envie de lui flanquer des claques à cause de son air têtu.

Ils parcoururent encore une centaine de mètres sans un mot.

— Il y a une chose, au moins, que j'ai le droit d'exiger.

— Laquelle ?

— Pour les gens, même pour Mme Lavaud et pour les Maubi, il ne doit y avoir rien de changé.

Il n'était pas sûr de comprendre.

— Nous vivrons en apparence comme par le passé et continuerons à partager la même chambre.

Il faillit lancer :

— Le même lit ?

Mais il ne voulait pas prendre trop avantage d'elle.

— Quant à cette fille, elle a cessé d'exister pour moi et je ne lui adresserai plus la parole que pour lui donner les ordres indispensables.

Il ne fallait pas sourire de contentement. C'était pourtant une victoire qu'il remportait, grâce à l'orgueil de Berthe.

— Les saletés que vous faites ensemble ne me regardent plus, mais je ne veux pas que cela se sache et, si par hasard tu lui fais un enfant, je t'interdis de le reconnaître.

Il n'avait jamais envisagé la question de ce point de vue et il ne connaissait rien à la loi.

— C'est convenu ?

Ils s'étaient arrêtés face à face et, cette fois, ils n'étaient définitivement plus que des étrangers l'un pour l'autre.

Est-ce que, comme il le craignit, Berthe fut tentée, l'espace de quelques secondes, de se jeter dans ses bras ?

— C'est convenu ! laissa-t-il tomber.

Sans l'attendre, il se dirigea à grands pas vers La Bastide, trouva, sur le seuil de la cuisine, Ada qui, comme si de rien n'était, aidait Mme Lavaud à éplucher des pommes de terre.

Il ne lui adressa qu'un clin d'œil, pour lui faire savoir que tout allait bien.

Il était satisfait et désorienté. En un temps ridiculement court, tout avait changé, et pourtant la vie allait continuer comme par le passé. Il ne savait pas encore comment il s'y ferait. Il ne s'était jamais demandé s'il aimait Ada, ni de quelle sorte d'amour, et il restait incapable de répondre à la question.

Pour le moment, elle ne jouait qu'un rôle de comparse dans le drame. Ce qui comptait, c'était la cassure entre Berthe et lui, une cassure acceptée de part et d'autre.

Si, quelques heures plus tôt, ils étaient encore mari et femme, ils n'étaient plus désormais que des étrangers, plus exactement des associés, car il restait La Bastide, et c'était sans doute à cause de celle-ci que Berthe avait proposé son étrange statu quo.

La Bastide les tenait tous les deux, amour ou pas amour, haine ou pas haine.

Berthe l'avait acheté, lui, comme Gros-Louis avait acheté le vieux mas, il s'en rendait mieux compte que jamais, et elle venait de dicter ses conditions.

Il alla jouer aux boules à Mouans-Sartoux. Le plus dur, le soir, fut de se déshabiller devant elle, car il lui semblait soudain indécent de lui montrer son corps nu. Il ne savait pas encore s'il devait lui dire bonsoir ou non. Il évitait de la regarder, se glissait dans les draps, se tenant à l'extrême bord du lit.

Ce fut elle qui éteignit la lumière et prononça :

— Bonsoir, Émile.

Il fit un effort.

— Bonsoir.

Est-ce que, le restant de sa vie, il allait se coucher, le soir, dans les mêmes conditions ?

Le lendemain matin, il descendit quelques minutes plus tôt que d'habitude, afin d'être en bas avant l'arrivée de Mme Lavaud.

— Qu'est-ce qu'elle a dit ?

— Tu restes.

— Elle ne me met pas à la porte ?

Ada ne se rendait pas compte que c'était admettre que Berthe était la véritable patronne et qu'Émile n'avait rien à dire.

— Non.

Un silence. Elle ne comprenait pas. Peut-être ne cherchait-elle pas à comprendre ? Elle voulait cependant savoir où ils en étaient.

— Et nous ?

— Il n'y a rien de changé.

On commençait à entendre, dans le chemin, encore assez loin, le pas de Mme Lavaud.

— Je me demande si, maintenant qu'elle sait, je pourrai encore.

Il se durcit instantanément, faillit, sans raison précise, lui flanquer une gifle, articula d'une voix sèche :

— Tu feras ce que je te dirai de faire.

— Oui.

— Prépare le café.

— Bon.

Il ne lui demanda pas de le rejoindre ce jour-là, par pudeur, peut-être par délicatesse. Il feignit de ne pas prêter attention à Berthe qui affecta des gestes d'automate et qui ne lui adressa la parole, d'un ton neutre, qu'au sujet du service.

Après la sieste, il prit la camionnette et descendit à Cannes pour voir une fille, la première venue, afin de se briser les nerfs, et un hasard ironique voulut qu'il frappât à trois portes avant de trouver une partenaire chez elle.

— Qu'est-ce que tu as ?

— Rien.

— Tu t'es disputé avec ta femme ?

— Déshabille-toi et tais-toi.

Il donnait l'impression, à ces moments-là, d'une petite crapule, d'un dur comme on en voit, jouant les terreurs, dans les bars. Une phrase se formait dans sa tête, à laquelle il n'attachait encore aucun sens, et il ne prévoyait pas qu'elle deviendrait une obsession.

Je la tuerai !

Car, à présent, il la haïssait, plus seulement pour telle ou telle raison, mais pour tout.

Il ne se disait plus qu'elle l'avait acheté, qu'il n'y avait en elle que de l'orgueil et de la rapacité paysanne.

Il ne pensait même plus à son attitude de la veille, ni au marché qu'elle lui avait proposé, ou plutôt aux conditions qu'elle avait dictées.

Cela avait dépassé le stade de la raison et celui du sentiment. La phrase jaillissait de son subconscient, comme une évidence, une nécessité indiscutable.

Je la tuerai !

Il n'y croyait pas, n'échafaudait pas de plans, ne se sentait pas un meurtrier en puissance.

— Tu es drôle, aujourd'hui, remarquait sa partenaire. On dirait que tu as besoin de t'en prendre à quelqu'un. Tout à l'heure, à la plage, je vais être couverte de bleus.

Il devait rentrer, à cause du dîner des pensionnaires. Il était un peu anxieux, en pénétrant dans la cuisine, car il se demandait si Berthe avait tenu parole. N'avait-elle pas parlé comme elle l'avait fait, la veille, pour l'endormir, et n'avait-elle pas profité de son absence pour chasser Ada de la maison ?

Ada était là. Berthe faisait des comptes. Elle était dans son élément. On l'aurait davantage désemparée en la privant de sa caisse qu'en la privant de son mari.

Est-ce que sa mère était malheureuse, depuis la mort de Gros-Louis ? Elle avait retrouvé sa sœur et sa nièce, dans leur intérieur de vieilles femmes, comme un poisson tiré un moment de l'eau retrouve en frétillant son élément.

Peu importe s'il était injuste.

Je la tuerai !

Cette fois, il le pensait devant elle, en la regardant, la tête sur ses papiers, et c'était déjà plus grave.

Nulle fibre ne tressaillait en lui, ni pitié ni sentiment d'aucune sorte.

Encore une fois, ce n'était pas un projet, ni

même un vœu. Cela restait vague, en dehors du domaine conscient.

Il ne vivait pas, pour le moment, dans un univers solide, mais dans une sorte de brouillard lumineux où les objets et les gens n'étaient peut-être qu'une illusion.

Il alla se servir à boire, au bar, à cinq pas de sa femme. Car elle était toujours sa femme. D'habitude, dès qu'il saisissait une bouteille, elle levait la tête pour voir ce qu'il buvait et pour murmurer au besoin :

— Assez, Émile.

Il guettait le mot. Allait-elle oser le prononcer ? Cela la regardait-il encore ?

Exprès, il vida son verre d'un trait, se servit à nouveau, à croire qu'il souhaitait la voir intervenir.

Si elle en eut l'envie, elle ne le fit pas, continuant à s'appliquer à ses additions comme si elle ignorait sa présence.

C'était donc établi une fois pour toutes : il était libre !

À condition de continuer à dormir dans la même chambre, dans le même lit qu'elle, et de se cacher pour faire l'amour avec Ada.

Il lança son verre par terre avant de pénétrer en ricanant dans la cuisine.

Libre, hein ?

6

Il devait encore traverser, la tête pleine de chaos, une période trouble, incohérente. La saison battait son plein, toutes les chambres étaient occupées, toutes les tables à la terrasse, et souvent les derniers arrivés attendaient au bar que d'autres aient fini de manger pour prendre leur place.

Outre le garçon que Berthe avait fait venir de Lyon, un nommé Jean-Claude, trop blond, qui roulait des hanches comme une femme, on avait dû embaucher un jeune du pays, au poil dru et aux ongles noirs, et Maubi venait aussi donner la main.

Dans la cuisine, Émile essuyait de temps en temps avec un torchon son front couvert de tant de sueur qu'elle finissait par l'empêcher de voir, et la pause, entre la préparation des repas, devenait de plus en plus courte. Il n'était pas question de bateau, ni de parties de boules, et c'était à travers toute cette agitation qu'il pensait, quand il y parvenait, à ses affaires personnelles.

Comme disait un de ses collègues, dans le sous-sol du palace de Vichy, il fallait alimenter la machine. Là-bas, on se serait cru dans une usine. Au lieu de fournir en charbon le foyer de la locomotive, on remplissait inlassablement le monte-plats pour les maîtres d'hôtel et les chefs de rang qui attendaient là-haut et qui se précipitaient vers les tables.

Il sentait que Mme Lavaud l'observait, notait au vol chaque nouveau signe de nervosité qu'il donnait.

Tout le monde, fatalement, avait remarqué que Berthe et lui ne s'adressaient plus que les paroles indispensables, d'une voix neutre, ce qu'il appelait à part lui une voix de carton. N'avaient-ils pas aussi comme des masques de carton sur le visage ?

Qu'est-ce qui l'empêchait d'être satisfait ? Presque chaque après-midi, même quand il ne la désirait pas, il faisait le signe à Ada. Elle le rejoignait au Cabanon et, machinalement, parce que c'était pour ça qu'il l'appelait au début, elle commençait par relever sa robe.

— Couche-toi.

Il avait lu que les grands singes se blottissent les uns contre les autres pour dormir, parfois des familles entières, sans distinction de sexe, et ils ne cherchaient pas à se réchauffer, puisqu'ils vivaient au cœur de l'Afrique. Était-ce pour se rassurer ? Ou par besoin de contact ?

En captivité, lorsqu'on tentait de les séparer pour la nuit, ils devenaient furieux et on prétendait, dans le livre qui lui était tombé sous la main, que certains se laissaient dépérir.

Boudeur, farouche, il se collait à Ada, la main sur son épaule, sur son dos, sur son ventre, n'importe où, cela n'avait pas d'importance, et il s'efforçait de s'assoupir pendant qu'elle restait comme suspendue à sa respiration.

Quelque chose le travaillait et il se posait des questions auxquelles il ne trouvait pas, ou ne voulait pas trouver, de réponses satisfaisantes.

À supposer que les choses se soient passées autrement et que, contre toute vraisemblance, Berthe soit partie, par exemple, en lui rendant sa liberté, est-ce qu'il aurait épousé Ada ?

La réponse aurait dû lui venir clairement, et pourtant il n'en était rien. Il se demandait même, parfois, s'il l'aimait, et de se le demander le mettait en colère contre lui-même.

Ada ne le jugeait pas, ne l'épiait pas pour le corriger, pour le rendre tel qu'elle aurait désiré qu'il fût. Si elle était attentive à ses faits et gestes, à ses regards, au pli de sa lèvre, c'était pour deviner ses désirs et faire ce qui était en son pouvoir afin qu'il soit heureux.

Était-il sûr, de son côté, de la considérer tout à fait comme un être humain ? Il n'avait rien à lui dire, se contentait de la caresser et, à elle, cela suffisait, comme à une bête.

Il ne la quitterait jamais, car il avait besoin d'elle, surtout à présent. Berthe les avait mis tous les deux, sciemment, dans une situation à la fois pénible et ridicule.

Ils n'avaient pas le droit de partir. Ils pouvaient se toucher en cachette, alors que tout le monde, certainement, était au courant. Devant les gens, il n'avait même pas le droit de la regarder.

Il était prisonnier, comme un hanneton au bout d'un fil, et c'était Berthe, avec ses airs de dignité mélancolique, qui tenait l'autre bout du fil.

C'était encore un terme religieux qui lui revenait, alors que, depuis qu'il avait quitté la Vendée, il n'était pas allé à la messe et que la religion ne l'avait jamais beaucoup préoccupé. Ces mots-là avaient-ils pour lui comme une valeur d'incantation ?

Il était dans les *limbes*. Il faisait partie de la maison sans y avoir sa place, était le patron sans en posséder les droits et il aimait sans être sûr d'aimer.

Certes, il n'avait plus besoin de tricher comme autrefois, mais, finalement, cela revenait au même.

Peut-être un autre mot était-il plus juste ? Berthe, dans la période où elle avait décidé de son avenir, ne l'avait-elle pas *excommunié* ?

Il lui arrivait de soupçonner les gens de pensées qu'ils n'avaient sans doute pas. Quand Pascali venait boire son verre de vin, il se demandait maintenant ce qu'il y avait derrière sa tête d'apôtre de vitrail ou de bandit de grand chemin, car le maçon aurait aussi bien pu être l'un que l'autre.

Pourquoi, un beau matin, Pascali avait-il amené

sa fille, qui n'était encore qu'une gamine, à La Bastide ? C'était à Émile, non à Berthe, qu'il l'avait confiée. Et Pascali devait connaître les hommes.

Est-ce que, depuis, chaque fois qu'il venait s'asseoir dans la cuisine, ce n'était pas pour savoir où Émile et Ada en étaient ?

N'avait-il pas deviné, et n'était-ce pas ce qu'il voulait qui était arrivé ? Ainsi Ada ne traînait-elle pas dans les rues de Mouans-Sartoux et les bals, passant des bras d'un garçon à ceux d'un autre, pour rentrer un jour enceinte à la maison.

Tout cela était probablement faux mais, pendant des semaines, il avait pensé comme quand on a la fièvre, grossissant des choses, en créant d'autres de toutes pièces. À certains moments, il doutait de lui au point de se demander si ce n'était pas lui qui avait tort et Berthe qui avait raison.

Il était impossible que cela dure. On prétend qu'un homme peut vivre longtemps sans manger, sans boire. C'est plus difficile de vivre sans sa fierté, et sa femme la lui avait enlevée.

Il ne lui pardonnerait jamais.

Combien de temps dura cette période, la plus pénible de toutes ? Le temps, à peu près, d'une vraie maladie, trois ou quatre semaines. Il n'avait plus de repères, ne comptant pas les jours.

Et ce fut d'une façon imprévue qu'il en sortit. Cela se passa le dimanche le plus chaud de l'année, avec des autos qui se dépassaient sur toutes les routes, les plages couvertes de monde, les gens prenant d'assaut, à Cannes, les restaurants où on n'arrivait pas à servir tout le monde.

Il y avait des clients en short, des femmes en maillot de bain, des enfants qui pleuraient et Jean-Claude n'arrêtait pas de déboucher des bouteilles de rosé. Les uns réclamaient des boules pour jouer au pied de la terrasse, les autres voulaient des sandwiches qu'ils iraient manger dans la montagne.

Comme chaque dimanche, il avait inscrit au menu la bouillabaisse et le risotto aux encornets, mais il n'avait pas pu obtenir des pêcheurs tout le poisson dont il aurait eu besoin. Il avait un gigot au four, de la viande rouge dans le réfrigérateur.

Dès midi et demi, la terrasse avait commencé à se remplir et, au moment où Berthe allait se mettre à table, dans son coin habituel, deux grosses voitures américaines s'étaient arrêtées, déversant à elles deux une douzaine de personnes.

— On peut manger ?

Jean-Claude était venu lui annoncer :

— Douze déjeuners de plus.

Le gigot saignait à même le bois de la table, les casseroles fumaient, l'air sentait le poisson, l'ail, l'huile brûlante.

— Annonce qu'il n'y aura pas de bouillabaisse ni de risotto pour tout le monde.

Berthe servait l'apéritif aux nouveaux venus. Tout cela parlait, riait, s'agitait et Maubi n'arrêtait pas de descendre à la cave.

— Madame demande ce qu'elle peut manger.

Il aurait dû lui mettre de côté une portion de

risotto, car c'était son plat préféré, dont elle mangeait tous les dimanches, mais il ne l'avait pas fait. Le gigot touchait à sa fin. Déjà il taillait dans la viande rouge qu'il avait réservée pour le dîner.

— Demande-lui si elle veut que je lui ouvre une boîte de conserve.

Le personnel en mangerait aussi. Ce n'était pas la première fois.

— Qu'est-ce qu'elle a répondu ?

— Elle désire du cassoulet.

En fait de conserves, en dehors des sardines, du thon, des fruits au sirop, ils avaient surtout du cassoulet et de la choucroute garnie. Ce n'était pas la saison d'en manger mais on n'avait pas le choix.

Il ouvrit le placard, choisit une des grandes boîtes de deux litres qu'on vend aux restaurateurs. L'étiquette était piquetée de rouille, il le remarqua sans y attacher d'importance, car cela arrivait fréquemment.

Il était plus de trois heures quand la terrasse se vida enfin et quand l'agitation disparut. Émile, qui avait grignoté un anchois par-ci, une olive ou un bout de pain par-là, n'avait plus faim et, retirant sa toque et son tablier, vida un verre de vin avant de se diriger vers le Cabanon.

Il n'avait pas fait signe à Ada. C'est à peine si, dans le brouhaha, il l'avait aperçue. Dans la cuisine, le personnel commençait à manger, avant de s'attaquer au monceau de vaisselle.

Cette fois, il dormit, épuisé. Il n'avait pas fermé la porte à clef. Il fut un bon moment à reprendre ses esprits quand on lui secoua l'épaule et il ne comprit pas ce qui lui arrivait en voyant Jean-Claude, en veste blanche, penché sur lui.

— Monsieur Émile !... Monsieur Émile !... Venez vite !...

— Qu'est-ce qu'il y a ?

— Madame...

Il crut d'abord à un accident, peut-être à une dispute avec des clients, à une rixe.

— Elle est très malade. Elle dit qu'elle va mourir.

— C'est elle qui a demandé qu'on m'appelle ?

— Je ne sais pas. Je ne suis pas monté.

Il traversa une zone de soleil, retrouva l'ombre dans la maison, Ada debout au pied de l'escalier. Leurs yeux se rencontrèrent et il lui sembla que le regard de la fille était plus intense que d'habitude.

— Qui est là-haut avec elle ?

— Mme Lavaud et Mme Maubi.

Il monta et, à ce moment, il aurait été incapable de dire ce qu'il souhaitait. Il vit Berthe, penchée sur une cuvette, près du lit, le visage cramoisi, elle essayait en vain de vomir.

— Il le faut... disait Mme Lavaud. Faites encore un effort... Enfoncez votre doigt dans votre bouche...

Berthe avait les paupières gonflées de larmes. Apercevant Émile, elle balbutia :

— Je vais mourir...

— Quelqu'un a téléphoné au docteur ?

— Vous savez bien que le docteur Guérini est en mer, répondit Mme Maubi. C'est dimanche.

— Et Chouard ?

— Je crois que mon mari lui a téléphoné.

Il descendit, faute de savoir où se mettre.

— Ce doit être le cassoulet et la chaleur, expliquait Maubi. Une fois, j'ai vu toute une noce malade à cause du foie gras et il y a même eu deux morts.

— Chouard était chez lui ?

— Il dormait.

On ne tarda pas à le voir arriver, poussant son vélo sur la pente, car il n'osait plus conduire une automobile.

— Qu'est-ce qu'elle a mangé ?

— On a eu des clients en surnombre. J'ai ouvert une boîte de cassoulet.

— D'autres en ont pris aussi ?

Il n'en était pas sûr. Il se tourna vers Maubi, qui fit signe que oui.

— Toute la cuisine.

— Pas d'autres malades ?

Chouard monta. Émile ne le suivit pas, s'assit sur la première chaise venue et s'épongea.

— On a tout à coup entendu des gémissements, racontait Maubi. Puis une voix a appelé au secours...

Une fois encore, les yeux d'Émile rencontrèrent ceux d'Ada.

Est-ce que, au moment où ils y pensaient le moins, tout n'était pas en train de s'arranger ?

Il ne ressentait aucune pitié pour Berthe. Il n'en avait pas eu pour Gros-Louis non plus, quand celui-ci était mort. A Champagné, enfant, il avait été accoutumé à la mort des gens et des bêtes et il arrivait que son père tue un veau ou un cochon dans la cour, lui-même avait appris, tout gamin, à couper le cou des poulets et des canards.

C'était plutôt une sorte de paix qui l'envahissait, une détente subite.

Sa fièvre tombait. Il regardait autour de lui avec des yeux à nouveau lucides et se disait :

« Je ne dois pas avoir l'air indifférent, ni, à plus forte raison, soulagé. »

Pour s'occuper, il gagna la cuisine.

— Où a-t-on mis la boîte vide ?

— Dans la poubelle.

Il alla la fouiller lui-même, tripotant sans dégoût des restes de repas et des intestins de poisson. Un peu plus tard, il posait la boîte sur la table, après l'avoir reniflée.

— Elle ne sent pas.

Il y avait bien les traces de rouille, mais à cause du climat, la plupart des boîtes, dans le placard, portaient les mêmes taches.

Ada, elle aussi, semblait plus à l'aise, mais n'était-ce pas de le voir enfin détendu ?

Il alla se verser un verre d'alcool, en tendit un à Mme Lavaud, qui venait de descendre et qui se tenait la poitrine comme si elle allait être malade à son tour.

— Buvez ça.

— Oh ! ce n'est pas le cassoulet que je crains. Mon estomac digère n'importe quoi. C'est de la voir ainsi…

— Que fait le docteur ?

— Il a réclamé de l'eau chaude, beaucoup d'eau chaude. J'en ai pris dans la salle de bains et, maintenant…

Les quelques clients restés sur la terrasse s'informaient. Jean-Claude ne savait que leur répondre.

— Dis-leur que la patronne a un malaise.

L'impatience le reprenait et il finit par monter l'escalier et par écouter à la porte. Il n'entendait que des hoquets, de l'eau qui coulait dans la bassine, peu à la fois, la voix de Chouard qui répétait, monotone :

— Détendez-vous… Ne vous crispez pas… Vous n'avez pas à avoir peur…

Lui-même, à cette heure de la journée, ne devait pas être trop bien en point. Arraché à sa sieste, il souffrait sûrement de gueule de bois et Émile alla lui chercher un verre d'alcool, entrouvrit la porte.

— Pour vous, docteur.

On avait débarrassé Berthe de ses vêtements et elle n'avait qu'une serviette-éponge sur le ventre. Assise sur une chaise, courbée en deux, la bouche ouverte, elle fixait la bassine posée à ses pieds, mais elle eut le temps de lever les yeux vers son mari.

Il préféra refermer la porte, un peu pâle. Il ne savait où aller et, après un quart d'heure passé à errer de la salle à manger à la terrasse et à la cuisine, il décida de mettre le dîner en train.

Lorsqu'il entendit enfin les pas de Chouard dans l'escalier, il le rejoignit, sa toque sur la tête, saisit machinalement la bouteille de cognac.

— Comment est-elle ?

— Je lui ai fait une piqûre et elle commence à dormir. J'ai pensé un moment à l'envoyer à l'hôpital ou dans une clinique, mais j'ai eu un enfant à hospitaliser d'urgence ce matin et je n'ai pas trouvé un lit libre à Cannes ou même à Nice. Il y a eu tellement d'accidents d'auto, de congestions causées par le soleil ou par les bains de mer...

Chouard questionna à son tour :

— Les autres ?

— Le personnel ne se plaint de rien.

Pour s'éviter la peine de se raser, Chouard portait toute sa barbe, roussâtre, et il avait d'énormes sourcils broussailleux.

— Son père, grommela-t-il après avoir vidé son verre, était à peu près aussi ivrogne que moi, et sans doute son grand-père aussi. Elle a hérité d'un fichu foie, qui élimine mal les toxines, et je ne serais pas surpris qu'un jour ou l'autre on doive lui enlever la vésicule biliaire.

Émile ne savait pas ce qu'Ada faisait dans la pièce mais elle y était.

L'espace d'une seconde, leurs regards se rencontrèrent une fois de plus.

— Elle s'en tirera ? questionna-t-il.

— Aujourd'hui, oui. Mais, la prochaine fois, j'en suis moins sûr.

Chouard haussa les épaules.

— C'est toujours pareil. Elle devrait suivre un régime sévère, et elle ne le fera pas. Un beau jour qu'elle aura mangé d'un plat qui lui est contraire...

La maison était si paisible, après l'agitation du reste de la journée, qu'on aurait pu se croire dans une église.

Ada était toujours là, attendant Dieu sait quoi, et, comme s'il prenait une décision subite, Émile la regarda d'une façon insistante, comme pour lui transmettre un message, puis battit deux ou trois fois des paupières.

Il y avait onze mois de cela et il n'avait pas été tenté une seule fois d'y revenir. À cause de cet incident fortuit, il était arrivé inopinément à une conclusion et il ne voyait pas d'autre moyen d'en sortir.

D'un coup, il avait retrouvé une certaine paix intérieure. Il avait encore dormi, cette nuit-là, comme les suivantes, à côté de Berthe. Quand elle s'était réveillée, vers trois heures du matin, il l'avait aidée à se rendre à la salle de bains et avait attendu pour la ramener dans son lit.

Le lendemain matin, elle lui avait dit d'une voix encore dolente :

— Merci de m'avoir soignée.

Cela ne le touchait plus. Il avait franchi un certain cap, et s'en rendait à peine compte, et tout ce qui s'était passé avant avait perdu son importance.

Il ne se posait plus de questions. Plus exactement, les questions qu'il se posait maintenant étaient des questions précises, incapables de le troubler, des questions techniques, en quelque sorte.

Par exemple, il avait découvert que cela devait se passer un dimanche, pour que le docteur Guérini soit en mer et que Chouard soit appelé.

La saison était déjà trop avancée. Bientôt, les touristes retourneraient chez eux et le calme de l'automne, puis de l'hiver, rendrait la chose plus difficile, trop évidente.

Ce dimanche-là, Berthe aurait pu mourir sans que la plupart des clients s'en aperçoivent et l'enterrement, trois jours après, n'aurait provoqué aucun remous.

— Ce que je ne comprends pas, c'est que j'aie été la seule à être malade.

— Chouard l'a dit : à cause de ton foie.

Elle resta au lit toute la journée du lundi mais, dès le lundi soir, elle descendait pour établir la note des clients qui partaient.

Il n'avait rien dit à personne, pas même à Ada. Entre elle et lui, il n'y avait eu qu'un regard, et Berthe n'était pas présente.

Or on aurait juré que, depuis cette minute, Berthe avait des soupçons. Certes, elle avait toujours épié son mari, mais elle le faisait à présent comme si une idée fixe la hantait.

Se figurait-elle qu'il avait tenté de l'empoisonner ? Il sut qu'elle posait des questions à la cuisine et qu'elle s'était fait montrer la boîte de cassoulet.

Cela n'inquiétait pas Émile, car elle aurait le temps d'oublier, de se rassurer. Et, quand il accomplirait ce qu'il avait décidé d'accomplir, il espérait bien qu'elle n'aurait plus la possibilité de parler.

Déjà avant l'incident du cassoulet, il avait pensé à une solution presque analogue, mais la solution était mauvaise et il l'avait rejetée sans insister.

Son idée, au fait, avait été d'emmener Berthe en mer avec lui. Elle ne savait pas nager. Il choisirait un jour de mistral et la conduirait au large des îles. Au retour, il lui suffirait de raconter qu'elle s'était penchée et avait perdu pied.

Cela ne valait rien. Il était bon nageur et on se demanderait pourquoi il ne l'avait pas repêchée. En outre, il aurait de la peine à décider sa femme, méfiante comme elle l'était, à l'accompagner en bateau.

Il faudrait, à tout le moins, l'habituer à le suivre à la pêche, l'emmener souvent, d'abord par temps calme, puis, petit à petit, par mer plus agitée.

Cette idée-là était effacée depuis longtemps. Cela n'avait même pas été un projet, seulement une sorte de rêve éveillé.

Comme aussi – mais c'était plus ridicule encore – de nettoyer son automatique devant elle, ou son fusil de chasse. On lit souvent, dans les journaux, le récit d'accidents de ce genre. Émile prétendrait qu'il ne savait pas l'arme chargée.

Il n'y pensait plus et il était presque résigné, en définitive, quand Chouard lui avait fourni la solution sans le vouloir.

À présent, la mise au point de son plan l'occupait suffisamment pour qu'il ne pense plus à autre chose et pour que sa vie devienne presque agréable. Quand Ada venait le rejoindre au Cabanon, il ne lui parlait de rien mais, en la prenant dans ses bras, il était détendu, souriant. Il disait seulement :

— Je suis content.

Il se passa bien un mois avant qu'il lui murmure à l'oreille :

— Un jour, nous serons tous les deux dans le grand lit, comme quand « elle » était à Luçon.

Il ne voulait rien laisser au hasard et c'est pourquoi il évitait de se rendre dans une bibliothèque de Cannes ou de Nice. Il n'achèterait pas non plus, car c'était dangereux, les livres dont il avait besoin.

Pour aller à Marseille, où on ne le connaissait pas, il devait attendre la fin de la saison et, jusque-là, il s'efforça de ne pas préciser son plan, car tout ce qu'il pourrait échafauder à présent ne tiendrait peut-être pas.

C'était une autre étape. Elles se suivaient, plus ou moins différentes les unes des autres.

Celle-ci était paisible, un peu glauque, avec une certaine irréalité.

Il faisait les gestes de tous les jours, recommençait à jouer aux boules, se rendait au marché. Bientôt, il remettrait son bateau à l'eau après lui avoir donné une couche de peinture sous-marine.

Il restait encore, entre le monde réel et lui, un léger décalage.

« L'été prochain… »

Cela lui procurait une satisfaction subtile d'être le seul, ou presque le seul – à cause d'Ada –, à savoir.

Les gens pouvaient s'imaginer qu'il n'était qu'une sorte de domestique de Berthe, et certains croyaient sans doute qu'il l'avait épousée pour son argent, pour La Bastide.

Cela ne l'humiliait plus. Il avait envie de leur dire :

— Attendez !

Il leur prouverait qu'il n'était pas un hanneton au bout d'un fil, un canari dans sa cage, un pauvre type que la mère et la fille achètent pour faire marcher leur restaurant.

Les gens ne sauraient pas, évidemment, et il se prenait à le regretter. Il faudrait éviter, après, d'être trop tenté de se vanter.

Berthe le surveillait plus que jamais et cela lui faisait plaisir car, s'il en avait été besoin, cela lui aurait enlevé ses dernières hésitations.

Il attendit novembre, et que sa belle-mère fût là, pour parler du voyage à Marseille. Depuis longtemps, on avait des ennuis avec la pompe à eau, car la compagnie de distribution ne desservait pas

La Bastide et on devait pomper l'eau à l'aide d'un moteur.

Un spécialiste de Cannes était venu, avait fait des réparations et, huit jours plus tard, on avait une nouvelle panne.

Émile avait découpé dans le journal une réclame publiée par une maison de Marseille.

— Dès que j'aurai le temps, j'irai voir moi-même.

C'est pour éviter que Berthe l'accompagne qu'il avait attendu l'arrivée de sa belle-mère. Il n'avait pas donné aux deux femmes le temps de se concerter, de projeter, elles aussi, un voyage à Marseille.

Un matin, il était descendu, habillé pour la ville.

— Où vas-tu ?

— À Marseille. Je t'en ai parlé il y a un mois.

C'était exprès qu'un mois plus tôt il n'avait fait qu'une vague allusion à ce voyage.

— Il n'y a pas d'autre moment pour installer une nouvelle pompe...

Elle se méfiait, le regardait pour lire au fond de sa pensée. Il s'en moquait, car elle ne pouvait rien lire. Il était trop tard. C'était comme s'il eût déjà pressé le bouton pour mettre la machine en marche.

— Quand rentres-tu ?

— Ce soir ou demain. Cela dépendra de ce que je trouverai là-bas.

En passant devant Ada, il n'avait pu s'empêcher de murmurer :

— Plus que quelques mois !

À elle de comprendre ou de ne pas comprendre. Cela lui était égal. Tout lui était égal. Il agissait. Il n'avait plus à revenir en arrière, à se tourmenter, à se demander si sa décision était juste ou injuste.

Désormais, il suivait un plan précis et il chantonnait en quittant la gare Saint-Charles, sachant d'avance de quel côté se diriger.

Il se souvenait que, dans les bibliothèques publiques, municipales ou autres, les lecteurs remplissent une fiche, et il n'avait pas envie de laisser de papiers révélateurs derrière lui. En outre, ces bibliothèques-là n'auraient pas nécessairement les ouvrages dont il avait besoin.

Il avait trouvé dans l'annuaire des téléphones, bien avant son voyage, une adresse qui lui paraissait la bonne : « Blanchot, librairie universitaire. »

Or il y avait une école de médecine à Marseille. Émile faisait encore assez jeune pour passer pour un étudiant. Le magasin était vaste, avec des rayons chargés de livres jusqu'au plafond et, par chance, les différentes sections étaient indiquées par des pancartes.

La librairie repérée, il s'occupa de la pompe, car il préférait opérer vers le milieu de l'après-midi, quand il y aurait assez de monde pour qu'il passe inaperçu.

D'autres, comme lui, feuilletaient des ouvrages, certains juchés sur une échelle, et il ne lui fallut que quelques minutes pour mettre la main sur un livre qui l'intéressait : *Le Poison, sa Nature, ses Effets,* par Charles Leleux.

Ce n'était pas l'œuvre d'un médecin, mais d'un avocat à la cour d'appel de Paris, et une partie du volume était consacrée aux plus célèbres empoisonnements par l'arsenic.

Sans tout lire, parcourant certains chapitres, il retirait déjà l'impression rassurante que, dans la plupart des cas, l'empoisonnement n'avait été décelé que par hasard, le plus souvent à la suite d'une maladresse.

Des détails plus techniques lui furent fournis par un autre livre trouvé sur le même rayon : *Toxicologie Moderne,* par le professeur Roger Douris.

Chapitre VIII – *Arsenic et ses Composés.*

À la page suivante :

Empoisonnements criminels.

… C'est surtout à l'anhydride arsénieux, poudre blanche farineuse, que les criminels ont recours. L'anhydride arsénieux, difficilement mouillé par les liquides, peut persister à la surface de l'aliment, éveiller l'attention de la victime…

… Les empoisonnements criminels par l'arsenic sont très nombreux et connus depuis la plus haute antiquité…

Le mot *criminel* ne le choquait pas, au contraire. Il surveillait les allées et venues autour de lui. Une jeune vendeuse lui demanda, sans se préoccuper de ce qu'il lisait :

— Vous trouvez ce que vous cherchez ?
— Pas encore.

... Emploi de l'acide arsénieux pour la destruction des animaux nuisibles, renards, rats, belettes...

... L'agriculture utilise également les composés d'arsenic pour combattre les invasions de certains insectes...

... L'arséniate de plomb donne d'excellents résultats. Aussi des tonnes de ce sel sont-elles manipulées chaque année par des ouvriers agricoles...

Il s'arrêtait à un passage plus précis :

Doses toxiques. – En général, une absorption de 0,20 g d'acide arsénieux détermine une intoxication suraiguë entraînant la mort en quelques heures (10 à 24 heures).

Vingt-quatre heures, c'était trop, car le docteur Guérini aurait le temps de rentrer de la pêche et quelqu'un, peut-être Chouard lui-même, penserait peut-être à l'appeler en consultation.

On donnait la nomenclature d'autres poisons, avec leurs effets, la façon de les dépister, les soins à donner, mais presque tous lui semblaient difficiles à se procurer.

Il ouvrit un troisième volume, plus épais que les précédents : *Précis de Chimie Toxicologique,* par F. Schoofs, professeur émérite de la Faculté de Médecine de l'Université de Liège.

Il chercha tout de suite à la table des matières. Il ne voulait pas attirer l'attention en restant trop longtemps dans la librairie : s'il le fallait, il reviendrait dans deux ou trois semaines.

Cause des empoisonnements.

L'arsenic étant un toxique très répandu et facilement accessible au public, on conçoit qu'il détermine fréquemment des empoisonnements accidentels et criminels ou des suicides.

Dans un empoisonnement criminel, on avait mélangé à du poivre un minerai arsénifère pulvérisé…

Plus loin :

… Suivant la dose et l'administration, l'intoxication arsenicale revêt la forme aiguë ou chronique ; quelle que soit la forme, les mêmes symptômes apparaissent et cela dans le même ordre : troubles gastro-intestinaux, catarrhe laryngé et bronchite, éruptions cutanées, paralysie des membres inférieurs…

La gastro-entérite, Berthe venait de l'avoir. Non seulement Chouard n'avait pas été surpris, mais il s'attendait à de nouvelles crises. Chaque année, d'autre part, elle avait deux ou trois angines, car elle avait la gorge fragile.

Il aurait aimé prendre des notes. Ce n'était pas prudent. Il préféra apprendre certains passages par cœur, comme à l'école, et, cela fait, il saisit un ouvrage sur les accouchements, qu'il alla montrer à la demoiselle du comptoir.

— Combien ?

Elle chercha le prix écrit au crayon sur la page de garde et il paya, passa un bon quart d'heure à errer dans les petites rues avant de se débarrasser du livre.

Le matin, il n'avait pas pris de décision définitive au sujet de la pompe et du moteur, afin de se réserver au besoin la possibilité d'un nouveau voyage. Comme ce n'était plus nécessaire, il passa chez le marchand pour confirmer sa commande.

C'était une belle journée et il flâna sur la Canebière, prit l'apéritif à une terrasse de café en regardant les passants.

Maubi se servait, pour les cerisiers, d'un produit à base d'arsenic, qu'il pulvérisait deux fois chaque année sur les arbres, mais rien n'indiquait que ce produit-là contenait suffisamment de poison.

Dans la remise à outils, une boîte marquée d'une tête de mort contenait une pâte grisâtre qu'on n'employait que depuis peu pour tuer les rats et les taupes. Maubi l'étendait comme du beurre, sur des morceaux de pain ou de fromage, et on retrouvait ensuite les animaux desséchés.

Émile avait vaguement lu la notice, avant de savoir qu'il aurait un jour besoin de poison. Il ignorait si la boîte était à moitié pleine ou presque vide. Chaque chose en son temps. Il s'en occuperait au moment voulu.

Pour l'instant, il était satisfait de ce qu'il avait appris. Personne ne s'était occupé de lui. Il était presque certain que la vendeuse de la librairie ne le reconnaîtrait pas dans la rue. Elle ignorait son nom, et d'où il venait. Enfin, il avait eu soin d'acheter un livre sur une matière toute différente.

Il arriva à La Bastide à dix heures du soir, trouva les deux femmes, la mère et la fille, dans la salle à manger, où elles n'avaient laissé qu'une lampe allumée.

Berthe avait-elle parlé à sa mère de ce qui s'était passé entre eux ? C'était peu probable. Son orgueil avait dû la retenir, même vis-à-vis de la vieille femme.

Il annonça, en se servant un verre de vin :

— J'ai acheté une motopompe. On vient l'installer dans dix jours.

Il posa un catalogue sur la table et se dirigea vers l'escalier.

— Bonne nuit.

Il ne la fuyait pas, mais se considérait comme ne faisant plus partie de la famille. Il n'attendait pas sa femme pour se coucher. Ils ne se disaient plus bonjour ni bonsoir. Enfin, il évitait autant que possible de se montrer nu, voire à moitié nu, devant elle.

Berthe n'avait pas la même pudeur et se déshabillait comme par le passé, ce qui le gênait et lui faisait détourner la tête. C'est à peine s'il se souvenait de l'intimité de leurs deux corps. Cela n'avait laissé aucune trace et la chair de sa femme lui était plus étrangère que celle de la première cliente venue.

Ce qui l'étonnait, c'est qu'à une certaine époque il ait pu coller ses lèvres aux lèvres de Berthe.

Il acceptait encore, pour un certain temps, sa présence dans la maison, dans son lit ; il acceptait de lui parler quand il n'y avait pas moyen de faire autrement, mais il n'était pas loin de considérer cette cohabitation comme une obligation monstrueuse.

Qu'était-elle en train de raconter à sa mère avant de monter et de se déshabiller dans l'obscurité ?

Mais à quoi bon s'en préoccuper puisque, dans quelques mois, ce serait fini.

7

Il lui arrivait de se demander, avec une fierté qui lui semblait légitime, si quelqu'un avait jamais préparé un crime avec autant de lucidité et de minutie qu'il était occupé à le faire. Au début, il évitait le mot, puis, un beau jour, il s'était rendu compte que c'était comme de marcher tête basse, d'avoir honte, et il s'était mis à appeler les choses par leur nom.

C'était dommage, en vérité, qu'il n'y eût personne pour l'observer pendant ces mois de préparation, pour suivre la marche de sa pensée, se rendre compte des rouages qu'une entreprise comme la sienne mettait en jeu, car il avait de plus en plus la conviction qu'il réalisait une expérience exceptionnelle.

Malheureusement, il était seul à se regarder vivre. Et s'il y avait deux femmes à l'épier, c'était, chacune, d'un point de vue fort différent.

Depuis les regards échangés lors de l'indisposition de Berthe, il était persuadé qu'Ada savait, qu'elle avait eu la même idée que lui, au même moment. Mais, chez elle, cela n'avait été que la soudaine découverte d'une possibilité, d'une issue, et sans doute ne serait-elle jamais passée aux actes.

Depuis qu'elle le voyait passer petit à petit au stade de la réalisation, elle était moins sûre d'elle et il lui arrivait, à l'heure de la sieste, de rester inerte dans ses bras, la pensée ailleurs.

Se méprenant, il lui chuchotait :

— Cela ne sera plus long, Ada !

La fois qu'il vit un frisson lui passer de la tête aux pieds, il comprit. D'ailleurs, elle eut la franchise d'avouer :

— J'ai peur.

— De quoi ?

— Je ne sais pas.

— Tu ne dois pas avoir peur. Il n'y a rien à craindre. Tu sais ce que veut dire « légitime défense » ?

Elle faisait oui de la tête.

— Eh bien, je suis en état de légitime défense. C'est elle ou moi. Préfères-tu que ce soit moi ?

Elle répondait non, bien sûr. Or ce n'était pas tant pour la rassurer ou pour se blanchir, ou encore pour lui enlever ses scrupules, qu'il parlait de la sorte. Il le pensait. C'était Berthe ou lui, en effet. Peut-être pas tout à fait dans ce sens-là, mais cela revenait au même.

Il n'était pas celui qui avait commencé. Il n'avait jamais essayé d'opprimer personne. La preuve, c'est que tout le monde, dans le pays, l'avait adopté et l'aimait, tandis que Berthe restait, non seulement une étrangère, mais une ennemie.

Il défendait ce qu'il possédait de plus précieux, peu importe si cela s'appelait la fierté, l'amour-propre ou l'orgueil et, quant à lui, il savait qu'il n'était pas orgueilleux, qu'il réclamait simplement qu'on lui laisse vivre une vie d'homme.

Berthe continuait à l'épier, pour ne pas dire espionner, comme elle l'avait toujours fait. Si cela avait tant excédé Émile autrefois, avant sa décision, cela jouait maintenant à la façon d'un coup de fouet.

Non seulement elle rendait ainsi la suite encore plus inévitable, mais la partie en devenait plus difficile, par conséquent plus passionnante.

Il la sentait intriguée par son changement d'humeur et, chaque fois qu'il se mettait à fredonner, non pour la narguer, mais parce qu'il était vraiment de bonne humeur, elle ne pouvait s'empêcher de sursauter, puis de le regarder en essayant de comprendre.

Elle prenait l'habitude, dix fois par jour, d'entrer dans la cuisine, où elle n'avait rien à faire, et il lui arrivait d'ouvrir le placard aux provisions, le réfrigérateur, de soulever le couvercle des casseroles.

Pensait-elle au poison ? C'était vraisemblable. Et le moment vint où il alla plus loin, où il se demanda si, de son côté, elle n'avait pas l'intention de l'empoisonner. L'empoisonnement n'est-il pas, dans la plupart des cas, un crime de femme ? Cela aussi, il l'avait appris à Marseille.

Comme il était le maître dans la cuisine et qu'il prenait rarement un repas régulier, c'était plus difficile pour elle d'agir que pour lui.

Quant à deviner le pourquoi de ses faits et gestes, Berthe, toute maligne qu'elle était, n'y parviendrait pas.

Un hasard – le hasard ne se met-il pas toujours du côté de celui qui a raison ? – lui avait fait découvrir un nouveau texte, un livre qu'il n'avait pas vu sur les rayons de la librairie de Marseille et qui se révélait plus précis que les autres.

Un matin, en nettoyant des poissons, il s'était enfoncé une épine de rascasse sous un ongle et il avait en vain essayé de la retirer avec la pointe d'un canif, puis avec des pinces. Mme Lavaud avait essayé aussi. Or chacun sait dans le Midi que les blessures causées par les rascasses ont tendance à s'envenimer.

L'après-midi, au lieu de faire la sieste, il avait décidé d'aller voir le docteur Chouard, qui aurait les instruments voulus. Il s'était donc rendu à Pégomas, où il avait été surpris de trouver un aspect presque propre à la maison si délabrée d'habitude. Il avait sonné. Une fille d'une trentaine d'années, bien en chair, avenante, qu'il ne connaissait pas, lui avait ouvert.

— Le docteur est chez lui ?

— Vous êtes le patron de La Bastide, n'est-ce pas ?

Il se demandait comment elle l'avait reconnu et cela lui avait fait plaisir.

— Entrez. Le docteur est allé conduire un malade à l'hôpital, mais il ne sera plus long.

Ainsi, Chouard avait remplacé la vieille Paola, sans doute devenue impotente, par cette belle fille qui avait trouvé le moyen de nettoyer la maison de fond en comble. Est-ce qu'elle était sa maîtresse ? C'était possible, même probable.

Et cela lui fit plaisir, au fond, car cela prouvait...

Peu importe ce que cela prouvait. Il se comprenait. Il ne ressemblait pas à Chouard, dont il n'avait pas l'âge, et, par-dessus le marché, il n'était pas, lui, un ivrogne. Il n'en existait pas moins des points communs ou, plus exactement, il pourrait en exister un jour.

— Entrez, monsieur Émile.

Elle connaissait son prénom aussi. Elle ne le laissait pas dans la salle d'attente presque lugubre, mais poussait la porte matelassée du cabinet de consultation.

— Je téléphone à l'hôpital pour lui annoncer que vous êtes ici.

Elle composa le numéro. Elle était très différente d'Ada, qui n'avait jamais l'air de s'être lavée. Le corsage bien rempli, les hanches, les cuisses charnues, elle sentait le propre et le savon cependant que ses lèvres assez épaisses s'entrouvraient naturellement dans un sourire.

— L'hôpital de Broussailles ? Est-ce que le

docteur Chouard est encore là ?... Oui... J'attends...

Elle expliquait à Émile :

— Il m'a dit en partant qu'il ne faisait qu'aller et venir par le car.

Et, à l'appareil :

— Allô... C'est vous, monsieur ?... Ici, Germaine... C'est pour savoir si vous allez rentrer, parce qu'il y a dans votre bureau monsieur Émile... De La Bastide, oui... Comment ?...

Elle se tourna vers Émile.

— C'est pour vous ?

Il fit oui de la tête.

— C'est pour lui... Non, il n'est pas trop pressé... Bien ! Je le lui dis...

Raccrochant enfin :

— Il prend le car dans cinq minutes. Il faut que je monte finir la chambre. Vous trouverez des magazines...

Les volets étaient aux trois quarts fermés, comme dans la plupart des maisons du Midi, l'ombre était fraîche. Des rayons, sur les murs, débordaient de livres dont il lut machinalement les titres.

C'est ainsi qu'il tomba sur un gros ouvrage, relié en toile grise, avec une étiquette bleue, intitulé : *Médecine Légale Judiciaire.*

Curieux de voir si on y parlait des empoisonnements par l'arsenic, il trouva bientôt des textes beaucoup plus explicites que ceux de Marseille.

Ici, il n'y avait personne pour l'observer. Chouard en avait pour une demi-heure à arriver à Pégomas par le car et cela donnait le temps à Émile de se mettre en tête ce qu'il était utile de savoir.

… La forme suraiguë (choléra arsenical) revêt l'aspect d'une gastro-entérite à type cholériforme : aux vomissements douloureux, alimentaires, puis bilieux et sanguinolents, s'ajoutent les coliques, la diarrhée, abondante, séreuse, à grains riziformes, la soif, très vive, la constriction de la gorge, l'anurie, les crampes, les pétéchies, le refroidissement des membres, l'hypothermie, la fréquence, la faiblesse et l'irrégularité du pouls aboutissent au collapsus en quelques heures, au plus en 24 heures…

Il s'émerveillait de presque tout comprendre. « Riziforme » venait sans nul doute de riz. « Hypothermie » signifiait abaissement de la température. Il n'y avait guère qu'« anurie » et « pétéchies » à garder leur mystère.

Ces renseignements lui confirmaient que les symptômes ressemblaient, en plus graves, à ceux que Berthe avait manifestés après avoir mangé du cassoulet en conserve.

Et n'était-ce pas Chouard lui-même qui avait parlé de mauvais foie et de vésicule biliaire ?

Forme aiguë. – Les accidents débutent, une ou deux heures après l'ingestion du toxique, par les troubles gastro-intestinaux accompagnés d'une sensation de brûlure, de soif ardente et de ptyalisme...

Il ne comprenait pas non plus le mot « ptyalisme », mais le reste collait toujours.

Il parcourait les pages, s'arrêtant parfois à un paragraphe, ses lèvres remuant comme quand, écolier, il apprenait ses leçons.

L'incertitude du diagnostic explique la fréquence des empoisonnements en série par le même individu qui croit à l'impunité jusqu'au jour où la répétition des mêmes faits et leur similitude orientent le diagnostic.

Cette phrase-là était la plus intéressante de toutes. Ne prouvait-elle pas qu'en n'empoisonnant qu'une seule personne, dans des conditions favorables – ce qui était le cas avec Berthe, qui avait déjà manifesté des symptômes presque similaires – et en prenant toutes les précautions possibles, il ne courait aucun risque ?

Il s'assura qu'il remettait le livre à sa place exacte et il ouvrit un magazine fort avant le retour de Chouard. Si sa nouvelle servante avait mis de l'ordre dans la maison, le docteur, lui, restait le même, un relent de vin persistant toujours dans les poils drus et roussâtres de sa barbe.

Sa main tremblait un peu, du tremblement des alcooliques, tandis qu'il retirait l'épine du pouce d'Émile.

— Ça va, là-haut ? Voilà un bout de temps que je n'y suis pas passé.

Il fit un clin d'œil, avec un mouvement de la tête vers la porte, pour expliquer que c'était à cause de Germaine. Il était d'un naturel paillard et on racontait des histoires qu'il avait eues avec des clientes qu'il faisait déshabiller sans raison. Il avait même été question de le traduire devant l'Ordre des médecins.

Au point où il en était, cela lui était égal, tout lui était égal, il riait de tout, l'air d'un faune ou d'un satyre, et il était probable qu'il ne croyait pas plus à la médecine qu'à l'humanité.

— Comment va cette délicieuse Berthe ?

L'ironie soulignant le mot « délicieuse » enchanta Émile.

— Toujours un peu patraque. Tantôt elle se plaint de l'estomac, tantôt du ventre et tantôt de la gorge.

Cela lui donnait une idée, qu'il mit dès lors à exécution. Quand il allait jouer aux boules à Mouans-Sartoux, on lui demandait des nouvelles de sa femme, même ceux qui ne la connaissaient que de vue. On lui avait même donné un surnom, que certains se risquaient à employer devant lui.

— Comment va le frigidaire ?

Au lieu de répondre distraitement qu'elle allait bien, il trouvait maintenant un petit mot qu'il laissait tomber d'un ton inconscient.

— Toujours son foie…

Ou bien :

— Elle a encore eu des coliques…

Et, pour changer :

— Si elle écoutait le docteur, elle ne mangerait que des pâtes et des légumes bouillis.

Cela tombait comme des gouttes d'eau. Dans quelle publicité prétend-on que chaque goutte compte ? Tout cela reviendrait un jour à la mémoire des gens et les aiderait à trouver l'événement naturel.

Il était en pleine technique et on aurait pu croire qu'il raffinait à plaisir. Il était persuadé, quant à lui, qu'aucune des précautions qu'il prenait n'était superflue.

Il avait lu, comme tout le monde, dans les journaux, le compte rendu de procès d'empoisonneurs. Neuf fois sur dix, si on était parvenu à les inculper, c'était en découvrant la façon dont ils s'étaient procuré le poison.

La Bastide comportait des vignes, des arbres fruitiers, des champs où il était normal de détruire les campagnols et, récemment encore, Mme Lavaud avait signalé la présence de rats dans la cave.

Il aurait pu aller chez le pharmacien de Mouans-Sartoux, des Baraques, chez n'importe quel pharmacien de Cannes pour acheter de l'arsenic, et personne, sur le moment, ne s'en serait étonné.

C'est ce que presque tous les autres avaient fait avant lui et c'est ce qui, en fin de compte, leur avait été fatal.

Un produit à base d'arsenic se trouvait dans la cabane à outils. D'habitude, Émile n'y mettait pour ainsi dire pas les pieds. Rien, en apparence, ne l'empêchait d'y aller sous un prétexte quelconque, et même sans prétexte, puisque la cabane faisait partie de la propriété.

Il préféra prendre son temps. Et un incident vieux de deux ans le servit, car il faut savoir se servir de tout. Un dimanche qu'il était pressé et qu'il n'y avait plus de basilic dans la maison, il s'en était pris à Maubi.

— Voilà des mois que je demande qu'on réserve, dans le bas du jardin, un coin pour les plantes aromatiques. Je passe mon temps à en acheter au marché, comme si nous n'avions pas le moindre bout de terre.

Maubi, depuis, s'était contenté de planter, près de la murette, du thym qui n'avait pas tardé à mourir.

Émile choisit un matin que Berthe était à ses écritures dans la salle à manger, où elle s'installait toujours à la même table près de la fenêtre. La porte de la cuisine était ouverte, comme d'habitude.

— Tu t'es occupé des herbes de la Saint-Jean ? demanda-t-il à voix haute à Maubi.

— Pas encore, mais…

— Inutile de t'en occuper. Je m'en chargerai moi-même…

On le savait bricoleur. On savait aussi qu'il travaillait volontiers dehors et qu'une année c'était lui qui avait sulfaté la vigne.

— Je vais préparer le terrain et j'irai demain ou après chez le pépiniériste…

C'était amusant. Berthe entendait. Se demandait-elle où il voulait en venir ? Si fine fût-elle, il la défiait de deviner son but exact.

Il alla réellement préparer un bout de terre, ce qui lui permettait d'entrer dans la cabane pour y prendre les outils nécessaires.

Il ne faisait pas semblant. Il soignait son travail. Retrouvant deux châssis qui ne servaient pas depuis longtemps et auxquels il ne manquait que des vitres, il décida de préparer aussi une couche chaude.

Ainsi, il disposerait tout l'hiver de ciboulette, de persil, de cerfeuil, d'oseille et de pourpier.

La boîte en fer-blanc était à moitié pleine de pâte arsenicale et il en préleva un peu plus d'un centimètre cube, qu'il entoura de papier sulfuré et qu'il fourra dans sa poche.

Dans la cuisine, il devait être prudent, non seulement à cause de Mme Lavaud qui s'y trouvait presque toujours, mais à cause de Berthe qui, marchant sans bruit, venait y rôder d'un air faussement innocent.

Il trouva cependant le moyen de faire une boulette de viande, d'y incorporer la pâte grisâtre qu'il emporta avec lui un après-midi.

Il était censé aller à Mouans-Sartoux pour acheter des vitres et du mastic afin de réparer le châssis.

En fait, ne voulant rien laisser au hasard, il avait décidé de tenter une expérience. Les traités sur les poisons parlaient, comme dose mortelle, de 0,20 g, mais il s'agissait alors, non d'une composition, mais du produit pur, ce qui n'était pas le cas.

Un peu avant Mouans-Sartoux, pas loin de la maison de Pascali, il y avait, au bord du chemin, dans un tournant, une bicoque habitée par un vieux qui travaillait à la carrière. C'était un veuf, qui vivait seul avec son chien, un gros animal jaunâtre pouvant à peine marcher et à moitié aveugle.

Cent fois Émile l'avait vu sur le bord de la route, affalé dans l'ombre, les yeux cernés de rouge, ne se levant qu'à regret pour se traîner un peu plus loin quand le soleil l'atteignait.

En face, la haie était épaisse. Du côté de la maison, rien n'empêchait de voir s'il y avait des gens dans la vigne.

Il s'assura en passant que les environs étaient déserts et, sans ralentir, jeta la boulette qui tomba presque aux pieds du chien.

Il acheta ses vitres et son mastic, en profita pour faire une pétanque avec le patron de l'Écu d'Or. Le facteur et le savetier suivaient la partie. Le temps était beau, assez frais, et il but deux verres de vin blanc avant de remonter à La Bastide.

Il avait revu le chien en passant. La boulette de viande avait disparu.

Le lendemain, le chien était à sa place habituelle. Le surlendemain aussi. Il refit l'expérience et elle donna les mêmes résultats.

La teneur en arsenic du produit était évidemment trop faible. S'il connaissait le moyen d'y remédier, cela présentait de nouvelles complications, de nouveaux travaux d'approche, et c'est pourquoi, deux jours plus tard, il commença à allumer du feu, l'après-midi, dans la cheminée du Cabanon.

Si cela lui était rarement arrivé, cela n'avait rien d'extraordinaire. La maisonnette était fraîche, humide, et on en ouvrait peu les fenêtres, c'était même accidentel qu'on en écarte les volets.

Il était naturel que, pour sa sieste, il enlève la crudité de l'air en brûlant quelques sarments.

— Je crois que je vais me faire une flambée...

C'était toujours dans la cuisine qu'il parlait, et toujours quand il savait Berthe dans la pièce voisine.

— Depuis le temps que la cheminée n'a pas été ramonée, vous allez vous enfumer.

Il put le croire un moment. La fumée se rabattit dans la pièce, mais il se servit du soufflet et, quand la flamme fut assez haute, le tirage s'établit brusquement, avec un « plouf ».

Il ne pouvait pas se servir d'une des casseroles de la cuisine. Il n'osait pas non plus acheter une petite casserole en aluminium dans un bazar.

Rien que cette expérience, en fin de compte, prit plus de quinze jours. Il trouva une vieille boîte à conserve dont le couvercle avait été coupé assez nettement, l'utilisa comme récipient et, au lieu de dormir, ayant eu soin, bien entendu, de ne pas donner le signal à Ada, il se livra à sa petite cuisine.

D'abord, il additionna d'une certaine quantité

d'eau la pâte arsenicale. Puis il fit bouillir le tout, pas trop fort, à petit feu, jusqu'à ce qu'il ne reste, dans le fond de la boîte, qu'un peu de matière blanchâtre.

Il la recueillit avec un bout de bois, la mélangea à de la viande hachée et, une fois de plus, la boulette fut lancée au chien.

Entre-temps, il avait semé des graines sous les deux châssis et commandé des plants à repiquer. Tout s'enchaînait. Ses allées et venues étaient logiques. Il ne risquait pas un seul geste équivoque.

La dose n'était pas encore assez forte. Il faillit se laisser décourager en retrouvant, le lendemain, le chien à sa place, et il se sentit pris, à l'égard de cette vieille bête qui refusait de mourir, d'une véritable haine.

Il recommença, pas tout de suite, mais trois jours plus tard, et il avait pris soin d'aller à la pêche comme il le faisait d'habitude à cette saison.

Il obtint enfin, en faisant réduire plusieurs fois sa mixture, une poudre aux reflets métalliques et, le lendemain, en ne revoyant pas le chien, il comprit qu'il avait réussi.

Il ne revit pas l'animal les jours suivants non plus.

Il joua beaucoup aux boules, presque tous les après-midi, car c'était le moyen de savoir, au cas où il y aurait eu des rumeurs.

Si le propriétaire du chien avait soupçonné qu'on avait empoisonné sa bête, il n'aurait pas manqué d'en parler et cela serait venu jusqu'au village. Il se serait bien trouvé quelqu'un, alors, pour dire :

— À propos, on a empoisonné le chien du vieux Manuel.

Rien. Pas un mot. Seulement un peu de terre fraîchement remuée dans le jardinet, à l'opposé de la maison.

Cela signifiait que la mort de l'animal avait paru naturelle.

Il restait une expérience à tenter, la plus désagréable, et c'était nécessaire d'attendre un dimanche. Les livres qu'il avait consultés parlaient du goût, de l'odeur qui, dans beaucoup de cas, avaient provoqué la suspicion de la personne visée.

Dans un des cas, en Écosse, l'arsenic avait été versé dans du chocolat très chaud et la victime ne s'était doutée de rien. Mais Berthe ne buvait pas de chocolat et elle ne buvait jamais chaud. Le livre insistait sur le fait que le chocolat était *brûlant.*

On parlait aussi d'une odeur alliacée, qui se retrouvait ensuite dans les vomissures et les déjections.

Or il existait un plat dont Berthe était friande, justement la principale spécialité de La Bastide, que tous les habitués réclamaient et qui figurait au menu une fois par semaine, le dimanche : c'était le risotto aux encornets.

Il se doutait peu, jadis, quand il avait mis la recette au point – car il avait amélioré la recette qu'on lui avait donnée –, il se doutait peu qu'elle lui serait précieuse un jour. Il en était en cela comme pour les herbes, pour l'habitude qu'il avait prise de faire la sieste dans le Cabanon. Tout finissait par servir. On aurait dit qu'une providence...

Il dut laisser passer trois dimanches, car ce n'était pas si facile que cela en avait l'air d'emporter une portion de risotto sans être remarqué.

Utilisant l'expérience acquise avec le chien, il mesura une certaine quantité de poudre, qu'il mélangea au riz imprégné de sauce. Au début, quelques petits points brillants subsistèrent. Puis, petit à petit, ils s'intégrèrent à l'encre d'encornet qui était à la base de la sauce.

Émile voulait s'assurer que le plat n'avait pas d'odeur, rien d'équivoque dans son aspect. Enfin, il était indispensable de goûter.

Il n'en prit, bien entendu, qu'une petite bouchée, eut le courage de ne pas la recracher. Le riz n'avait aucun goût suspect. Restait à savoir s'il ressentirait un malaise et il s'étendit dans l'ombre, attentif aux réactions de son estomac.

L'imagination joua-t-elle un rôle ? Il n'y avait aucun moyen de le dire avec certitude. Toujours est-il qu'il fut pris de nausées. Il s'efforça de ne pas vomir, reprit, vers cinq heures, son travail habituel, non sans sentir des gouttes de sueur perler à son front.

Deux ou trois fois, en passant, il se regarda dans la glace, et il n'y avait pas de doute qu'il était pâle.

On était en février. Il y avait passé presque tout l'hiver, préparant assez de poudre pour que, si cela ratait une première fois, il lui soit possible de recommencer.

Maintenant qu'il en avait fini avec les détails matériels, il s'occupait l'esprit en mettant au point les autres détails, fixant une date, par exemple, puis répétant les gestes qu'il ferait.

Un incident l'inquiéta un moment, car, par ses suites, il aurait pu changer bien des choses. Non seulement Mme Maubi venait aider à la cuisine et au ménage pendant la saison mais, le reste de l'année, le jour de sortie de Mme Lavaud, c'était elle qui la remplaçait.

C'était une femme assez forte, aux pieds sensibles, et, en arrivant, elle changeait ses souliers contre des pantoufles de feutre. L'été, elle retirait sa robe pour passer une blouse à petits carreaux noirs et blancs. Elle apportait pantoufles et blouse dans un sac en paille tressée comme ceux que les ménagères du Midi emploient pour faire leur marché.

Berthe n'avait jamais pris garde à ces détails, qui faisaient partie de la routine de la maison. Deux ou trois fois, il avait dû remarquer :

— Tiens ! Il ne reste que trois boîtes de sardines...

Ou encore :

— Je croyais avoir laissé du saucisson dans le réfrigérateur...

Un soir qu'il était accoudé au bar, à boire un verre de vin avec le facteur, il avait entendu, dans la cuisine, la voix de Berthe.

— Un instant, s'il vous plaît, madame Maubi.

Le « s'il vous plaît » lui avait mis la puce à l'oreille et, tout en regardant distraitement le facteur, il avait écouté.

— J'aimerais jeter un coup d'œil dans votre sac.

— Mais, madame…

Elle devait joindre le geste à la parole, car Mme Maubi protestait :

— Vous n'en avez pas le droit. Je vous interdis de…

Berthe était plus forte qu'elle n'en avait l'air et elle avait eu raison de la femme de ménage.

— Je me plaindrai au maire. Vous vous figurez que tout vous est permis parce que vous êtes la patronne…

— Ah oui ?… Et ça ?… Vous allez vous en plaindre au maire aussi ?

Le facteur, qui n'avait rien écouté, adressait à Émile un clin d'œil complice.

— Une boîte de thon, une boîte de pâté de foie, un morceau de beurre, une boîte de pêches au sirop. C'est moi qui vais porter plainte à la police…

— Vous feriez ça ?

— C'est mon droit, non ? Voyez-vous, il y a longtemps que je vous observe. Je voulais être sûre. Allez-vous prétendre qu'on ne vous donne pas à manger dans la maison ?

— Ce n'est pas pour moi.

Mme Maubi parlait d'une voix sèche. Elle ne demandait pas pardon, ne s'excusait pas.

— C'est pour ma fille, qui a épousé un propre à rien et que mon mari refuse d'aider parce qu'elle s'est mariée sans son consentement.

— Ce n'est pas à moi non plus de la nourrir. Vous pouvez partir. Maubi continuera à travailler pour nous, mais je ne veux pas vous revoir dans la maison. C'est compris ?

— Vous le lui direz ?

— À qui ?

— À mon mari.

Il y eut un silence. Berthe devait calculer que, si elle pouvait facilement remplacer la femme, un nouveau jardinier lui coûterait plus cher.

— Je lui dirai que je n'ai plus besoin de vous.

— Rien d'autre ?

— Maintenant, partez. Remettez d'abord en place ce que vous avez volé.

On ne devait revoir Mme Maubi que de loin et si Maubi soupçonna la vérité, il n'en laissa rien voir. Lui aussi tenait à La Bastide, où il travaillait déjà avant l'arrivée de Gros-Louis.

Émile fut soulagé, car un bouleversement dans la maison aurait pu compromettre ses plans.

Berthe ne lui parla de rien. C'était un sujet qui ne le regardait pas.

Le lendemain, il l'entendit téléphoner à Cannes, au service de la main-d'œuvre.

— ... Peu importe... Logée ou pas logée... Elle n'a pas besoin de connaissances spéciales... C'est pour le gros travail...

Berthe semblait avoir décidé de prendre une

personne de plus à demeure, ce qui, avec la clientèle toujours accrue, commençait à s'imposer.

On vit d'abord venir une Polonaise forte comme une jument, qui regarda la cuisine autour d'elle comme pour se mesurer avec un ennemi. Une heure plus tard, elle était déjà à genoux, en train de savonner le carrelage à la brosse.

On lui avait donné la mansarde à côté de celle d'Ada. La nuit, on l'entendit aller et venir et Émile savait que Berthe, comme lui, tendait l'oreille. Puis les bruits cessèrent. On n'avait pas entendu de pas dans l'escalier, aucune porte s'ouvrir et se refermer. Pourtant, le lendemain matin, la chambre était vide. Afin d'être sûre que personne ne s'opposerait à son départ, la femme était partie par la fenêtre.

Berthe téléphona de nouveau. Le bureau envoya une femme d'une trentaine d'années, qui louchait et semblait toujours sur le point de pleurer.

C'est elle qu'on garda, pourtant, car elle n'arrêtait pas de travailler et surtout elle baissait docilement les yeux quand Berthe lui adressait la parole.

Il y eut peu de changements, en définitive, sinon que la nouvelle, qui s'appelait Bertha et dont on changea le nom en Marie, trouvait le moyen de se lever, sans réveille-matin, avant Ada, et d'être presque toujours en bas la première. Mme Lavaud ne changeait rien à ses habitudes, se contentant de hausser parfois les épaules en regardant le visage disgracié de celle qu'on lui imposait comme compagne.

Pâques approchait. On avait deux pensionnaires et d'autres avaient retenu leur chambre par correspondance.

Il valait mieux, désormais, que la maison s'anime, car cela faisait paraître l'attente moins longue. Ada, surtout, devenait nerveuse, et, si les autres ne s'apercevaient de rien, elle prenait, aux yeux d'Émile qui commençait à la connaître, des allures de chatte qui attend ses petits. Il lui arrivait de tourner en rond, d'avoir des absences.

— À quoi pensez-vous, Ada ?

— À rien, madame.

Pour la remonter, il lui faisait signe, après le déjeuner. Elle avait une façon spéciale de se couler contre lui avec une curieuse humilité. Chaque fois, on aurait dit qu'elle lui en demandait silencieusement la permission et, quand elle était en place, on s'attendait presque à l'entendre ronronner de bien-être.

Quelquefois, de plus en plus souvent, un frisson la parcourait alors qu'elle restait immobile, les yeux ouverts. Espérant l'encourager, il lui disait :

— Plus que deux mois.

Puis plus que six semaines, qu'un mois.

Si on avait demandé à Émile comment il organiserait sa vie avec elle quand ce serait fini, il aurait été en peine de répondre. À vrai dire, il n'y pensait pas.

Certes, Ada faisait partie de son plan, puisqu'elle avait été à l'origine de ce qui allait se passer.

Il n'envisageait pas de se séparer d'elle et sans doute gardait-elle la même importance.

Tout au moins le supposait-il. En réalité, elle existait, un point c'est tout. Elle faisait partie de sa vie, aussi bien de sa vie présente que de sa vie future, mais il ignorait à quel titre.

C'était un peu comme si Ada eût été dépassée. La partie ne se jouait plus tout à fait sur le même terrain. Ou alors, à certain moment, par la faute de Berthe, Ada avait acquis une importance qui n'était pas la sienne propre.

Il arrivait encore à Émile de penser qu'il n'aurait plus besoin d'aller faire la sieste dans le Cabanon, qu'Ada dormirait avec lui dans le grand lit de noyer, qu'ils monteraient ensemble, l'après-midi, sans se cacher de personne.

Ce n'était cependant pas ces images-là qu'il appelait à la rescousse dans les moments de flottement. C'était dans le passé qu'il allait chercher ses raisons, et même, le plus souvent, dans un passé dont Ada ne faisait pas encore partie.

Il n'était plus question de causes, de motifs, encore moins d'excuses. C'était une affaire de vie ou de mort à régler entre Berthe et lui et il était urgent que l'un des deux gagne la partie.

Qui sait ce que Berthe manigançait de son côté ? Elle n'avait pas accepté la situation de gaieté de cœur. Une rage froide devait l'habiter du matin au soir et personne ne s'habitue à ces rages-là.

Elle n'en disait rien, ne se plaignait pas. Elle ne s'était même pas plainte à sa mère. Par orgueil.

Et, par orgueil aussi, elle devait vouloir à tout prix que cela change.

Il se méfiait, évitait de manger n'importe quoi, ce qui lui était plus facile qu'à elle. Il tenait le bon bout. C'était lui qui régnait dans la cuisine et il avait eu tout le temps de mûrir son plan.

À Pâques, c'était trop tôt, car il n'y aurait pas autour d'eux un désordre suffisant. Le désordre était un de ses atouts. On ne réagit pas de la même façon par un dimanche calme que quand quarante clients occupent la terrasse, que des gens boivent au bar et qu'il y en a dans tous les coins de la maison.

Il fallait franchir sans impatience l'accalmie qui suivrait les fêtes, attendre l'arrivée du premier flot de touristes.

Il se sentait parfois fatigué. C'était fatal. Mais il avait conscience d'avoir réalisé ce que peu d'êtres ont le courage de réaliser : dix mois, onze mois bientôt de préparation, sous le regard méfiant de Berthe, en dormant chaque nuit dans son lit, sans se trahir une seule fois.

N'était-il pas naturel de regretter qu'il n'y ait pas eu de témoins ?

8

Tandis qu'au volant de sa camionnette il se faufilait dans l'encombrement et le tintamarre de la rue Louis-Blanc, puis que, plus haut, longeant le mur du cimetière, il se dirigeait vers Rocheville, une vague le portait encore.

Il ne posait pas vis-à-vis de lui-même, ne crânait pas. Si cela lui était parfois arrivé au cours des dernières semaines, comme d'aucuns chantent dans le noir, il avait retrouvé aujourd'hui, dès son réveil, le même contact avec les êtres et les choses que dans son enfance.

Sur le seuil de la cuisine, par exemple, sa tasse de café à la main, il s'était imprégné du paysage, avait fait corps avec lui, et, depuis, il n'avait cessé, sur la route, au marché, au port, de faire partie d'un beau dimanche.

Il regarda au passage les vieilles pierres roussies de Mougins sur la colline, une pompe à essence neuve près de laquelle une petite fille jouait avec une poupée, des paysans endimanchés qui descendaient la route jusqu'à l'arrêt de l'autocar.

Tout s'enchaînait, vivait à un rythme large et serein. Il tournait à gauche et, le long du chemin caillouteux qui commençait à monter, des pins s'élançaient, laissant parfois apercevoir la Pierre Plate qui lui rappelait un chaud souvenir.

Il ne se précipitait pas vers son destin et c'est sans hâte, sans fébrilité qu'il arrêtait en chantonnant la camionnette argentée en face de la porte de la cuisine.

Il descendit. Quatre mètres seulement le séparaient de la porte. Il n'y avait personne sur la terrasse. Il s'attendait à n'y voir personne à cette heure et il avait aperçu en venant les chapeaux de paille des deux pensionnaires, Mlle Baes et Mme Delcour, glissant à hauteur des haies dans le petit chemin de Pégomas.

Comme d'habitude, les deux battants du volet peint en vert olive étaient à peine écartés, de façon à laisser passer juste assez de lumière tout en formant barrage à la chaleur.

Il en ouvrit un. Il faillit parler, prononcer un nom, n'importe lequel, celui de la première personne qu'il apercevrait, tant il était habitué à ce qu'il y eût quelqu'un, homme ou femme, pour l'aider à décharger les cageots.

Pour une fois, la cuisine était vide. Cela le frappa d'autant plus qu'il n'y avait à vivre, d'une vie étrangement frémissante, que le couvercle d'une énorme casserole dans laquelle de l'eau bouillait.

Il passa dans la salle à manger, où se trouvait le bar et qui occupait presque tout le rez-de-chaussée. Il s'attendait à y voir Berthe occupée à écrire des menus, dans son coin près de la baie vitrée.

Il n'y avait personne et, sur une des tables, traînait le tricot bleu pâle auquel il avait vu Mlle Baes travailler.

Dérouté, il s'avança vers le bas de l'escalier, leva la tête pour écouter.

Il ne comprenait pas, ne réfléchissait d'ailleurs pas. Ce fut, en réalité, le seul moment de véritable panique, sans aucun lien avec ce qui se préparait.

Il ne lui venait pas à l'esprit que c'était l'heure à laquelle, surtout le dimanche, La Bastide paraissait plus vide. Une auberge est comme un théâtre, avec la vie de la coulisse, d'une part, et celle de la salle, de l'autre. Des deux côtés du rideau, il faut un certain temps pour embrayer et, par exemple, lorsque les premiers spectateurs entrent dans la salle à moitié éclairée, quelqu'un de non averti pourrait à peine croire qu'un quart d'heure plus tard tous les fauteuils seront occupés.

Dans les coulisses aussi, parmi les machinistes qui s'affairent, les acteurs qui s'attardent dans leur loge, il faut, chaque soir, une sorte de miracle, pour que chacun soit en scène au lever du rideau.

À La Bastide, chacun avait plus ou moins une tâche déterminée. Il était possible que Maubi soit allé cueillir des légumes au potager, qu'Eugène, le nouveau garçon embauché la semaine précédente, se change et se donne un coup de peigne avant la mise en place.

Pour chacun en particulier, l'absence était explicable, mais ce qui donnait à la maison une atmosphère irréelle, angoissante, c'était l'absence de tous en même temps.

Pendant quelques instants, il perdit vraiment pied.

— Madame Lavaud !... Ada !...

Il s'élança dans l'escalier, poussa la porte d'une première chambre, puis d'une seconde, qui était celle des deux clientes belges. Dans la pièce voisine, enfin, il trouva Ada occupée à prendre les poussières.

— Que se passe-t-il ? Qu'est-ce que tu fais ?

Elle ne comprenait pas son émotion.

— Il y a eu un coup de téléphone de gens de Marseille pour retenir deux chambres. Ils vont arriver et madame m'a dit...

— Où est-elle ?

— Elle n'est pas en bas ?

— Et Marie ?

Celle qui louchait, qui s'appelait en réalité Bertha et qu'on avait débaptisée. Pas lui. Sa femme, vexée qu'une servante porte le même prénom qu'elle.

— Je la croyais dans la cuisine.

Il redescendait, trouvait Marie à sa place, l'air de n'en avoir pas bougé.

— Où étiez-vous ?

— Au petit endroit.

C'était bête. Il s'en voulait.

— Et Maubi ?

— Il est allé chercher des tomates.

— Eugène ?

— Il doit être par là...

Elle ne disait pas par où. Il n'y avait que lui à s'être rendu compte du vide momentané et à en avoir été affecté.

— Aidez-moi à vider la camionnette.

Il était occupé à coltiner les cageots quand Berthe et Eugène sortirent du Cabanon et, pendant un court instant, il retrouva son sentiment d'irréalité. Parce que le Cabanon servait à ses rendez-vous avec Ada, une association d'idées venait de se faire dans son esprit.

Sa femme ne s'occupait pas de lui. Debout devant la maisonnette, elle donnait des instructions qu'Eugène écoutait avec attention.

C'était simple. Tout était simple et il avait eu tort de se laisser désarçonner. En réalité il n'y avait pas eu un, mais deux coups de téléphone de gens annonçant leur arrivée. Berthe ne lui en parla pas, se contentant d'annoncer un peu plus tard en s'installant à sa table pour copier les menus :

— Sept couverts de plus.

Outre le couple de Marseille, une famille avec trois enfants venait de Limoges et devait rouler en ce moment quelque part entre Toulon et Saint-Raphaël.

Berthe était allée s'assurer que le Cabanon était

en état de les recevoir, emportant draps et serviettes, emmenant, non seulement Mme Lavaud, mais Eugène pour aider celle-ci à faire les lits.

Émile retrouvait enfin la réalité, mécontent d'avoir eu peur sans raison, le regrettant d'autant plus que Berthe paraissait s'en être rendu compte. Elle avait maintes nuances dans sa façon de le regarder. Parfois, comme la mère d'Émile, cela ressemblait à l'attention soutenue de quelqu'un qui a de mauvais yeux et qui s'efforce de lire de petits caractères. D'autres fois, il s'y ajoutait de la méfiance.

Certains matins, elle affectait un air de mélancolie et de dignité et on aurait pu croire qu'elle était prête à piétiner son orgueil pour pardonner et reprendre la vie d'autrefois.

L'expression la plus fréquente était celle de la solitude courageusement supportée, l'attitude de la femme qui accomplit son devoir envers et contre tout et supporte sans se plaindre le poids de la maison.

Il y avait encore la résignation, plus rarement une note d'indulgence, qui irritait davantage Émile. Elle semblait prendre alors le monde à témoin :

« Mon mari est jeune. Les hommes restent longtemps des enfants. Il s'est toqué de cette fille et il faudra du temps pour que ça lui passe. Il n'est pas responsable. Un jour, il reviendra et, ce jour-là, il me retrouvera. »

Aujourd'hui, c'était une autre note encore, qu'il connaissait aussi, teintée d'ironie :

« Mon pauvre Émile ! Tu te prends pour un homme, sans te douter que tu n'es qu'un enfant de chœur, que je lis tes pensées derrière ton front têtu, que je sais tout… »

Madame Je-sais-tout ! D'habitude, cela le mettait hors de lui. Ce matin, il s'était trop laissé désarçonner par le vide de la maison.

Dieu merci, elle ne le regarderait plus longtemps avec une de ces expressions-là et il allait prouver que, si supérieure aux autres qu'elle se crût, elle s'était trompée sur toute la ligne.

Il monta se changer, croisa, dans l'escalier, la pauvre Ada qui devait se demander comment il allait faire. La décision d'Émile ayant été prise, en fait, le dimanche du cassoulet, quand Berthe avait été si malade, il n'était pas si difficile, à Ada, dont le regard avait croisé le sien à ce moment-là, de deviner la méthode qu'il avait choisie.

Elle connaissait la date fixée. Il avait commencé par compter en mois.

— Dans trois mois…

— Dans deux mois…

Puis les semaines.

— Dans trois… dans deux semaines…

Et il avait fini par murmurer avec soulagement :

— Dimanche !

Il ne lui avait pas parlé de l'heure, ni du risotto. N'était-elle pas un peu sorcière ? Au fond, elle lui faisait parfois peur. Elle prononçait rarement une phrase entière et souvent, quand elle le rejoignait à l'heure de la sieste, elle ne disait pas un mot.

Elle s'exprimait surtout avec ses yeux. Des gens qui ne la connaissaient pas la prenaient, au début, pour une sourde-muette et, quand il l'avait aperçue autrefois dans les bois de pins, cela avait été sa première impression aussi.

Elle appartenait à un monde différent, celui des arbres et des bêtes, et il la soupçonnait de savoir des choses que le commun des hommes ignore. Il n'aurait pas été surpris d'apprendre qu'elle pouvait prédire l'avenir ou qu'elle était capable de jeter un sort.

Qui sait si elle n'avait pas jeté un sort à Berthe, si ce n'était pas à cause de cela qu'à son insu Émile agissait comme il le faisait ?

Heureusement qu'il était pris, petit à petit, dans l'engrenage, dans la routine des dimanches d'été. De sa cuisine, où il nettoyait lui-même les encornets, afin de ne rien perdre de leur encre, il entendait les premières voitures s'arrêter. Quelqu'un ne tarderait pas à lancer d'une voix joyeuse :

— Émile est là ?

Cela faisait plaisir aux clients d'appeler le patron par son prénom, de passer la tête par la porte de la cuisine et, pour les plus familiers, d'y entrer et de tripoter les poissons.

— Alors, Émile, qu'est-ce que vous nous préparez de bon ?

C'était pis pour ceux qui venaient avec des amis ne connaissant pas encore la maison. Ceux-là tenaient à montrer qu'ils étaient comme chez eux.

— Venez boire un verre de rosé avec nous, Émile. Mais si !

Il s'essuyait les mains à un torchon, se glissait derrière le bar. Cela faisait partie du métier.

Il dut y aller trois fois, ce matin-là, échappant pour un moment à la chaleur du fourneau.

De bonne heure, on vit venir six clients différents de la clientèle ordinaire, des jeunes gens de Grasse qui se rendaient à Cannes pour un match de football et qui avaient décidé de casser la croûte en route. On les avait mal renseignés et, endimanchés, ils essayaient de se donner de l'assurance tout en se rendant compte qu'ils s'étaient trompés d'auberge.

À la vue de la carte et des prix, ils avaient failli s'en aller. Puis ils avaient discuté à mi-voix et avaient fini par commander de la bouillabaisse et du rosé.

Ils en étaient à la troisième bouteille et parlaient haut, riaient très fort, décidés à en avoir pour leur argent.

Les deux femmes belges étaient à leur table habituelle, la famille de Limoges, après un coup d'œil au Cabanon, s'était installée à la terrasse. Dans sa poche, Émile avait glissé un petit sachet qu'il lui suffirait d'ouvrir le moment venu.

Il savait les gestes qu'il aurait à faire. Ce n'était plus qu'une question mécanique. Le temps de réfléchir était passé, à plus forte raison celui d'hésiter.

Le sachet vide brûlerait en une seconde dans les flammes du fourneau et il ne resterait aucune trace.

Ils étaient trois en permanence dans la cuisine, pour une bonne heure encore, Mme Lavaud, Marie et lui. Ada et Eugène faisaient le service. Maubi s'occupait du vin, tantôt dehors, tantôt à la cave.

Une fois ou deux, avant de s'asseoir enfin, Berthe viendrait jeter un coup d'œil, sans rien dire. Le mieux était de ne pas regarder de son côté.

De toute façon, il était trop tard.

— Trois bouillabaisses, trois !

Maubi venait de traverser la cuisine pour descendre à la cave et c'est alors, tandis qu'Émile arrangeait les portions dans les plats, qu'une pensée lui vint, si simple, si évidente qu'il se demanda comment il ne l'avait pas eue pendant les derniers onze mois.

Mme Harnaud !

Il avait tout prévu, sauf elle. Dans son esprit, il la situait à Luçon, avec sa sœur et sa nièce, comme si elle devait y rester éternellement.

Or c'était faux. Il la connaissait bien. Berthe n'avait pas été seule à acheter Émile. La mère participait à l'opération et peut-être même était-ce elle qui en avait eu l'idée la première.

Déjà, quand il était à Vichy et qu'on lui avait proposé de venir… Gros-Louis avait écrit la lettre, soit, mais sa femme ne l'avait-elle pas inspirée ?

Elle savait son mari malade. Elles allaient rester

seules, deux femmes, dans cette Bastide dont l'installation n'était pas terminée et dont la clientèle était inexistante...

Émile se souvenait de la façon discrète dont Mme Harnaud montait, le soir, après la mort de Gros-Louis, pour le laisser en tête à tête avec sa fille.

Pouvait-on espérer que cette femme, une fois sa fille morte, resterait à Luçon sans venir défendre ce qui restait en partie son bien ?

Elle accourrait, bien sûr. Pour le moment, elle se fiait à Berthe pour surveiller Émile. Berthe disparue, elle serait forcée de s'en charger elle-même.

Tout cela s'imprima dans sa tête en l'espace de quelques secondes. Son front était couvert de sueur, à cause de la chaleur du fourneau, mais il lui semblait que maintenant c'était une mauvaise sueur, comme quand on a la fièvre.

Avec Berthe, il existait une sorte de pacte et il n'avait plus besoin de se cacher d'elle pour faire venir Ada dans le Cabanon.

Sa belle-mère, elle, n'était pas au courant et il s'était leurré en imaginant qu'il allait simplement faire descendre Ada d'un étage pour la mettre dans son lit.

Il avait déjà trouvé la solution. Elle ne lui faisait pas peur. S'il l'avait acceptée une fois, il n'y avait aucune raison pour qu'il ne l'accepte pas une seconde.

Cela retardait seulement le moment de sa libération. Il faudrait attendre des années, deux ou trois peut-être, en tout cas de longs mois.

Il savait par cœur la phrase lue dans le cabinet du docteur Chouard et les mots lui en revenaient en mémoire :

L'incertitude du diagnostic explique la fréquence des empoisonnements en série par le même individu qui croit à l'impunité jusqu'au jour où la répétition des mêmes faits et leur similitude orientent le diagnostic.

Il ne devait pas se tracasser en ce moment. L'autre affaire viendrait en son temps. De toute façon, tenant la solution, il prendrait le temps et les précautions nécessaires.

Ada entrait et sortait, apportant des plats vides, en emportant d'autres. De temps en temps, par la porte de la cuisine aux volets plus largement ouverts depuis que le soleil s'en détournait, il allait jeter un coup d'œil sur la terrasse afin de savoir où les clients en étaient.

Il vit Berthe s'asseoir à sa place, le nouveau garçon, Eugène, se diriger vers elle, être happé, chemin faisant, par un client qui réclamait un peu plus de bouillabaisse. Ainsi se fit-il qu'Ada eut à prendre la commande de sa femme.

Cela n'avait pas d'importance. Eugène aurait aussi bien fait l'affaire, puisqu'il ne s'agissait que de porter un plat.

Avant le retour d'Ada, il profita de ce que Marie avait le dos tourné et de ce que Mme Lavaud était dans la souillarde pour verser la poudre dans l'assiette de risotto et pour brûler le papier. Cela se fit aussi vite, aussi aisément qu'un tour de prestidigitation.

Il était à peu près sûr que Berthe n'avait pas commandé de hors-d'œuvre. Elle en prenait rarement le dimanche, à la fois pour aller plus vite, car elle devait avoir fini avant les clients pour faire les additions, et parce qu'elle était gourmande d'encornets.

On ne lui portait pas un plat, mais, pour simplifier, sa portion sur une assiette chaude.

— Risotto ? demanda-t-il à Ada, qui lui parut avoir soudain le teint plus terne.

Elle fit oui de la tête.

— Pour madame ?

Il évitait de dire ma femme, depuis que ce mot n'avait plus de sens.

Ce qui lui passa par la tête, à cet instant précis, ne fut pas une pensée à proprement parler. Cela ne reflétait ni une décision ni même un désir. Cela ressemblait plutôt, quand on tourne le bouton de la radio, à ces phrases en langue étrangère que l'on capte par hasard, venant d'un poste lointain qu'on ne retrouve pas par la suite.

Pourquoi n'existerait-il pas aussi dans l'air des images, des idées ou des lambeaux d'idées qui viennent Dieu sait d'où et qu'il nous arrive de capter l'espace d'une seconde sans savoir à quoi elles correspondent ?

Tandis qu'Ada se retournait, l'assiette à la main, pour se diriger vers la terrasse, il venait de la voir soudain telle qu'elle serait à trente-cinq ou à quarante ans, peut-être à cinquante, sorte de sorcière noiraude qui ferait peur aux enfants.

... la fréquence des empoisonnements en série...

Il n'avait rien dit, n'avait pensé à rien. À peine une image, jaillie un instant du néant, qu'il avait chassée aussitôt. Il avait autre chose en tête. Il ne vivait pas dans l'avenir, mais dans le présent.

Ce n'était plus seulement le jour, ni l'heure. C'était la minute. Il rangeait dans un plat des poissons de bouillabaisse pour trois personnes, ajoutait, à la réflexion, une petite rascasse, tendait le plat à Eugène qui attendait.

Il se demandait s'il n'avait pas eu tort, un peu plus tôt, d'aller voir sur la terrasse ce que faisait Berthe. S'en était-elle aperçue ?

Il s'épongea, non avec le torchon, mais avec son tablier blanc. Ada allait revenir avec une autre commande. Une minute. Quelques secondes...

Elle ne revenait pas. C'était Eugène qui avait le temps de réapparaître.

— Deux risottos.

— Pour qui ?

— Les Belges.

Il les servit et, tout de suite après, éprouva le besoin d'allumer une cigarette. Sa main tremblait à peine, mais elle tremblait. La servante qui louchait allait et venait comme si de rien n'était.

Mme Lavaud était assise dans l'ombre, des petits pois dans son giron.

Il fallait qu'il aille voir. Maubi passait derrière son dos, des bouteilles à la main. Dès qu'il aurait vu, Émile se verserait à boire, car sa gorge était sèche.

Il n'avait que quatre pas à faire, il les compta, puis à avancer la tête. La table de Berthe était la dernière à gauche, contre la baie de la salle à manger où il n'y avait personne car, l'été, tous les clients préféraient la terrasse.

Il avait sa toque sur la tête, son torchon à la main.

Tout de suite, malgré le soleil, les couleurs, le mouvement, le brouhaha, les gestes des uns et des autres qui s'entremêlaient, les rires et les éclats de voix, ce fut le regard de Berthe qu'il rencontra.

Ce regard était fixé sur lui, calme et dur, pour une fois dénué d'ironie, et on aurait pu croire que sa femme savait qu'Émile allait paraître, et à quel point précis, qu'elle avait préparé ce regard-là d'avance pour le recevoir.

Il ignorait ce qui s'était passé, ce qui se passait, mais il était déjà sûr que c'était Berthe qui avait gagné la partie. Le doute devint impossible quand, en face d'elle, à la même table, tournant le dos à la cuisine, il reconnut la tête d'Ada, ses épaules, une Ada qui était en train de manger le risotto au poison.

— Deux côtes d'agneau, deux !

Il préférait ne la voir que de dos, ne pas être

obligé de regarder le visage. Il imaginait la voix de Berthe.

— *Asseyez-vous.*

Ada, debout, ne sachant que faire, n'osant pas protester.

L'assiette poussée vers elle à travers la table.

— Mangez !

Elle mangeait. L'assiette était déjà presque vide. Émile rentrait dans la cuisine pour poser les côtelettes sur le gril. Les flammes, qui avaient brûlé un peu plus tôt le sachet, faisaient grésiller la viande où perlaient des gouttes de sang.

... les accidents débutent une heure ou deux après l'ingestion du toxique...

... aux vomissements douloureux, alimentaires, puis bilieux et sanguinolents, s'ajoutent les coliques, la diarrhée abondante, séreuse, à grains riziformes, la soif très vive, la constriction de...

De toute façon, il était trop tard. Berthe venait de le lui signifier, sans avoir besoin de remuer les lèvres, rien que par un regard.

Il n'avait pas le droit d'intervenir. Il aurait fallu pour cela...

— Trois meringues glacées, trois !

Il prit la glace dans le réfrigérateur, laissa un moment son visage exposé à la fraîcheur.

— Deux cafés ! prononçait derrière lui une voix qui le figea.

C'était Ada. Elle attendait les deux cafés. Elle

le regardait comme le gros chien jaunâtre avait dû regarder son maître.

Est-ce qu'elle attendait quelque chose de lui ? Il ne pouvait rien pour elle. Elle appartenait au passé.

Il évitait son regard, continuait son travail, remplissait les plats qu'il posait sur les plateaux.

Il entendit dans la salle à manger la voix d'Eugène.

— L'addition du 12.

Cela signifiait que Berthe avait pris sa place près de la fenêtre et avait commencé à aligner des chiffres.

... Les accidents débutent une heure ou deux après l'ingestion du toxique...

Il valait mieux qu'il ne soit pas présent. Même s'il faisait la sieste au Cabanon, il y aurait quelqu'un pour l'appeler. Il n'était pas sûr de son sang-froid. Déjà, il n'était plus capable de regarder Ada qui allait et venait silencieusement, le visage sans expression.

Il cherchait une raison plausible de s'en aller aussitôt que tous les clients seraient servis. Il n'en trouvait pas. Il manquait de lucidité.

Or voilà que Berthe s'encadrait dans la porte. Il y avait trois témoins : Mme Lavaud, Marie et Maubi qui se versait à boire.

— Tu n'oublies pas le match de football ? lui disait Berthe d'une voix naturelle.

Il balbutia :

— Dans un moment…

Mme Lavaud et Marie étaient capables de verser le café et de placer les meringues sur les assiettes.

Berthe avait raison. Il était grand temps de partir pour Cannes et de se mêler à la foule qui suivait le match de football.

Elle se chargeait de tout. C'était mieux ainsi. Quand il rentrerait, ce serait fini.

Il n'y aurait d'ailleurs pas grand-chose de changé, puisqu'ils n'avaient jamais cessé de dormir dans la même chambre.

Il y monta pour revêtir une chemise blanche, un pantalon léger, et pour passer le peigne mouillé dans ses cheveux.

Il sortit par-derrière, afin d'éviter Ada, mit la camionnette en marche avec une telle précipitation qu'il était déjà à mi-côte quand il s'aperçut qu'il n'avait pas desserré le frein.

Noland (Vaud), le 3 juillet 1958.

Composition réalisée par PCA

Achevé d'imprimer en mars 2012 en France par
CPI BRODARD ET TAUPIN
La Flèche (Sarthe)
N° d'impression : 68191
Dépôt légal 1re publication : mars 2012
LIBRAIRIE GÉNÉRALE FRANÇAISE
31, rue de Fleurus – 75278 Paris Cedex 06

31/6639/4